KT-228-406

CONTENIDO

PRESENTACIÓN

BIENVENIDOS A LA ESCUELA DE LÍDERES

Durante mis primeros siete años de estar entrenando a los miembros de la iglesia, para que pudieran desarrollar un trabajo ministerial mucho más efectivo, llegué a la conclusión de que habían algunas cosas en las cuales necesitábamos mejorar, y una de ellas tenía que ver con la manera en que estábamos preparando a nuestra gente. Aunque nos habíamos esforzado en el instituto bíblico por darles a nuestros estudiantes aquello que considerábamos lo mejor, llegamos a la conclusión de que después de dos años de preparación, salían con bastante conocimiento bíblico, pero sin tener idea de cómo ganar gente. Recuerdo que después de dos años de haber dado inicio a la Escuela de Líderes, tuve una reunión con tres de quienes habían sido alumnos, y uno que se había preparado en nuestro Instituto Bíblico. Les pregunté: ¿a que se dedicaban y cuantas células tienen cada uno?

Una de ellas dijo que era estudiante de medicina y dirijía noventa células. La otra me respondió que era estudiante de odontología y tenía cuarenta y cinco células. La siguiente me comentó que era estudiante de medicina y tenía veinticinco células. Luego me respondió el que se suponía tenía mayor conocimiento que los demás por haber estado en el Instituto Bíblico: "Soy empleado de una compañía, y tengo tres células". Aquel día me di cuenta de que la Escuela de Líderes, aunque no daba mucha información, formaba lideres eficaces, razón por la cual decidimos proseguir solamente con la Escuela de Líderes; pues los resultados se ven claramente a través del fruto. En este momento contamos con un promedio de treinta mil células entre hombres, mujeres, jóvenes y niños, que se reúnen una vez por semana en la ciudad de Bogotá.

Aunque este material fue elaborado para suplir la necesidad de aprendizaje de nuestra iglesia (Misión Carismática Internacional), tuvimos el testimonio del Espíritu de compartirlo con aquellas comunidades que han decidido implementar la visión.

Este material no es para que los estudiantes sean teólogos, sino para que tengan una herramienta eficaz en la manera de hacer discípulos y desarrollar la visión.

Tengo que expresar mis agradecimientos a todo el equipo de trabajo editorial, al Pastor Juan Carlos Rojas y a Carolina Gomez, quienes fueron claves por su valiosa asesoría. Todos ellos han hecho posible que este material sea una herramienta poderosa en las manos de cada estudiante.

Cesar Castellanos D.

FUNDAMENTACIÓN BÍBLICA BÁSICA

Juan 3:16-21

FUNDAMENTACIÓN BÍBLICA COMPLEMENTARIA

Efesios 2:8, 9
Hechos 8:20
Génesis 6:5-8
Romanos 3:20, 24, 28
Romanos 10:4
Salmos 85:10, 11
Romanos 5:8
Romanos 10:9, 10
Romanos 4:4, 5
Filipenses 4:13
Romanos 7:14
Colosenses 2:14
Gálatas 6:14
1 Corintios 1:30

La Salvación

LECCIÓN

TEXTO CLAVE

«Porque de tal manera amó Dios al mundo, que ha dado a su Hijo unigénito, para que todo aquel que en él cree, no se pierda, mas tenga vida eterna. Porque no envió Dios a su Hijo al mundo para condenar al mundo, sino para que el mundo sea salvo por él»
Juan 3:16, 17

PROPÓSITO

En una oportunidad, mientras cenábamos con un grupo de amigos, las personas que estaban en la mesa de al lado compartían acerca de una travesía que habían realizado en el caudaloso río Magdalena. La lancha en que viajaban se volcó, quedando abandonados, y la esperanza de salvarse era muy remota. Uno de ellos empezó a lanzar gritos de angustia con todas sus fuerzas, pidiendo ayuda cuando, milagrosamente, Dios envió a alguien que les indicó cómo podían alcanzar su salvación. Gracias a la sabiduría de ese hombre, los viajeros lograron ser rescatados y recibir el tratamiento médico que requerían.

Esta experiencia ilustra la necesidad que tiene el ser humano, de ser rescatado de la esclavitud del pecado. Esta condición le lleva a la muerte espiritual y no le permite gozar de las riquezas que Dios ha destinado para él.

Cuando el Señor vio que el hombre estaba perdido, decidió establecer un plan para librarlo de la opresión del pecado. Para cumplir ese plan, se hizo necesario el sacrificio de su único Hijo, Jesucristo.

Esta lección presenta un panorama claro acerca de la salvación, el por qué y el para qué, sus implicaciones y el papel del Hijo de Dios para que la salvación sea una realidad en su vida y en la de su familia.

1. LA GRACIA ABUNDANTE

La salvación no se puede negociar; no se puede comprar, ni vender (Efesios 2:8-9). Cuando Simón el mago le ofreció dinero a Pedro para recibir la unción que éste tenía, la respuesta de Pedro fue: «Tu dinero perezca contigo, porque has pensado que el don de Dios se obtiene con dinero» (Hechos 8:20)

Pero, ¿Qué es gracia?

Es la misericordia que Dios da a quienes no la merecen. La gracia es el regalo más grandioso concedido por Dios a todos los que lo quieran recibir, y que no tiene precio.

Descripción de la gracia

Gracia viene del griego "caris", que significa «belleza o atractivo». La gracia empieza con Dios. Él no nos ve en nuestra lamentable condición, sino que nos da una mirada favorable, que es la que produce el milagro de la transformación. Un gran ejemplo lo encontramos en la antigüedad, cuando Dios tomó la decisión de destruir la tierra con el diluvio a causa de la maldad del hombre, porque toda carne se había corrompido. Lo único que preservó la existencia de la humanidad fue que «Noé halló gracia delante de los ojos de Dios» (Génesis 6:5-8).

En su carta a los romanos, Pablo dijo: "Así que, como ustedes ven, nadie puede alcanzar el favor de Dios por ser lo suficientemente bueno, porque mientras mejor conocemos la ley de Dios, más nos damos cuenta de que no la obedecemos; la ley nos hace vernos pecadores" (Romanos 3:20, Biblia al Día). Y añade: "Pero Dios nos declara inocentes del delito por haberle ofendido si confiamos en Jesucristo, quien gratuitamente borró nuestros pecados" (Romanos 3:24, Biblia al Día).

También le reitera Pablo a los Romanos: "Entiéndanlo bien: Cristo concede a quienes creen en él lo que ustedes están tratando de lograr por esfuerzo propio, pues Cristo es el fin de la ley" (Romanos 10:4, Biblia al Día)

Justificación por la gracia

Aunque la ley fue parte de la Palabra de Dios y expuso la justicia divina en el pueblo de Israel, con la muerte de Cristo en la cruz murió la ley y renació la gracia. El salmista dijo: "La misericordia y la verdad se encontraron; la justicia y la paz se besaron. La verdad brotará de la tierra, y la justicia mirará desde los cielos" (Salmos 85:10-11).

La severa justicia es exacta, precisa, imparcial y objetiva y no permite aproximaciones de ninguna índole. Pero en la cruz se encontrarán la severa justicia de Dios que dijo: "El alma que pecare morirá" y la misericordia divina que dice: "Mas Dios muestra su amor para con nosotros, en que siendo aún pecadores, Cristo murió por nosotros" (Romanos 5:8). Dios, en su justicia, tenía que castigar al pecador; pero en su misericordia, prefirió castigar a su propio Hijo, para así salvar a toda la humanidad, que estaba perdida.

Pablo dijo: "Concluimos, pues, que el hombre es justificado por la fe sin las obras de la ley" (Romanos 3:28).

"Pero al que obra, no se le cuenta el salario como gracia, sino como deuda; mas al que no obra, sino cree en aquel que justifica al impío, su fe le es contada por justicia" (Romanos 4:4-5).

Algunos piensan que para entregar sus vidas al Señor, deben ser mejores de lo que son, y dejan pasar los días pensando que mañana cambiarán. Lo interesante es que en la fe, el Señor no exige esfuerzo alguno de nuestra parte, ya que la fe permite decir: Todo el castigo que yo como pecador merecía, recayó sobre aquel hombre llamado Jesús, quien nunca cometió pecado.

Y todo el bien que Jesús debería recibir, vino sobre mí sólo por creer en Él. Dios me ve a través de Jesús, y yo me comunicó con Él también por medio del Señor Jesucristo.

Mediante la gracia, !e entregamos a Jesús nuestras debilidades para que Él las lleve, y aceptamos toda su fortaleza dentro de nosotros.

· Le entregamos nuestros pecados.
Aceptamos de Él salvación.

· Le entregamos nuestras enfermedades.
Aceptamos de Él salud.

· Le entregamos nuestras necesidades.
Aceptamos de Él provisión.

· Le entregamos nuestra angustia.
Aceptamos de Él paz.

· Le entregamos nuestra voluntad.
Aceptamos de Él la guía de su Santo Espíritu.

· Le entregamos nuestro humano conocimiento.
Aceptamos de Él sabiduría.

Por la gracia confiamos de una manera plena en el Señor Jesucristo y decimos como Pablo: "Todo lo puedo en Cristo que me fortalece" (Filipenses 4:13).

La gracia y el pecado

Pablo dijo: "La ley... El problema no está en ella sino en mí. Por estar vendido en esclavitud al pecado, que es mi dueño" (Romanos 7:14, Biblia al Día)
Aunque la ley es espiritual, ella no es el problema sino nosotros que somos carnales. Y por tener una naturaleza carnal, fuimos hechos esclavos del pecado.

En Roma los esclavos eran colocados sobre una tarima, con una lanza clavada en un poste sobre sus cabezas. La lanza simbolizaba que el esclavo estaba en venta. Aquel que lo compraba era quien tenía todo el derecho sobre él. El esclavo no tenía derecho a escoger, quien lo gobernaba era su amo.

Nosotros también, por causa del pecado, fuimos exhibidos en el mercado de Satanás, y la lanza sobre nuestras cabezas era su dedo acusador. Era necesario que alguien nos comprara, y esto fue exactamente lo que hizo Jesucristo.

El apóstol Pablo dijo: "Anulando el acta de los decretos, que había contra nosotros, que nos era contraria, quitándola de en medio y clavándola en la cruz" (Colosenses 2:14).

El acta de decretos equivale a las acusaciones del adversario cuando un individuo ha pisado su terreno. Por lo general el enemigo atrapa a las personas por medio de una palabra, un pensamiento o alguna situación negativa experimentada en el pasado. Satanás, por medio del pecado, adquiere el derecho, si no destruimos todos los argumentos levantados en nuestra contra en la cruz del calvario.

La cruz es tan poderosa que el apóstol Pablo dijo: "Pero lejos esté de mí gloriarme, sino en la cruz de nuestro Señor Jesucristo, por quien el mundo me es crucificado a mí, y yo al mundo" (Gálatas 6:14).

2. ¿QUÉ SE ENTIENDE POR SALVACIÓN?

El término salvación equivale a «rescate», e implica liberar a una persona de la esclavitud de alguien o de algo, ya sea un sistema o una situación que le oprime. En tal sentido, la salvación se asocia con la redención, y este aspecto sugiere el pago de un precio para que la libertad se concrete y la esclavitud desaparezca.

La salvación es, entonces, «el proceso a través del cual el hombre es rescatado de la esclavitud del pecado, mediante la obra expiatoria de Jesucristo en la cruz del Calvario»

El plan de salvación diseñado por Dios contempla los siguientes aspectos: justificación, regeneración, santificación y redención propiamente dicha. (Amplíe estos 4 conceptos, de una manera muy sencilla)

"Mas por él estáis vosotros en Cristo Jesús, el cual nos ha sido hecho por Dios sabiduría, justificación, santificación y redención" (1 Corintios 1:30)

Para recibir la regeneración se requiere de:

· La palabra viva y permanente de Dios	1 Pedro 1:23
· La obra del Espíritu Santo	Juan 3:5-8
· La fe en Jesús	Hechos 3:16

CONCLUSIÓN

Es tan valiosa la gracia salvadora que Dios, con todo su poder, no encontró otra forma de redimirnos sino a través de la bendita sangre de su propio Hijo. Por medio de Jesús, todo lo que el hombre perdió en el paraíso, fue restituido a través de la fe. Ningún hombre podrá volver a disfrutar de la vida y de las riquezas espirituales, si antes no reconoce su condición de pecador y acepta el sacrificio de Cristo en la cruz, depositando su fe en Él.

APLICACIÓN

Examine integralmente su vida y observe si hay en ella alguna situación de pecado que no haya sido confesada ante Dios. Renuncie a esto y procure gozar de la santificación que trae consigo el plan de salvación.

TAREA

Elabore una lista de personas cercanas a usted (familiares o conocidos), que no hayan abierto su corazón a Jesús. Ore por ellas y pida al Señor que le brinde la oportunidad de compartirles el plan de salvación para que también sean partícipes de la gracia de Dios.

1 Cuestionario de Apoyo

1. La necesidad de salvación del hombre se produjo desde que la primera pareja pecaron o desobedecieron el requerimiento de Dios expuesto en Génesis 2:16b, 17. Según este texto, ellos podían comer de todo arbol del huerto, pero no debían comer del arbol ciencia bien y mal; el desobedecer acarrearía la muerte espiritual del hombre.

2. El papel de Jesús como Salvador se identifica como "obra expiatoria". Averigüe qué significa el término "expiación"
significa, sacar de la maldicion, redencion.
Exodo 29-36

3. Según Hebreos 9:12, la obra expiatoria de Jesús se concretó a través de su sangre

4. Justificación significa "declarar justo a alguien".
Según Romanos 3:24, somos justificados por gracia de Jesucristo
Según Tito 3:7, somos justificados por gracia para pasar a ser herederos conforme a la esperanza de la vida eterna

5. La salvación se conserva en la medida en que permanezcamos en santidad, es decir, apartados para Dios y separados del mundo. Complete el siguiente texto de 1 Juan 2:15-17, que habla al respecto.

"No améis al mundo, ni las cosas que estan en el
Si alguno ama al mundo, el amor del padre no esta en el. Porque todo lo que hay en el mundo, los deseos de la carne, los deseos de los ojos, y la vanagloria de la vida, no proviene del padre, sino del mundo.
Y el mundo pasa, y sus deseos; pero el que hace la voluntad de Dios permanece para siempre."

6. 1 Tesalonicenses 5:23 nos da a entender que la santidad se produce en nosotros por la obra de

Dios padre

7. Según 1 Tesalonicenses 5: 23, el ser santificados por completo incluye las siguientes áreas:

Espíritu, alma y cuerpo.

8. Uno de los efectos de la salvación es la "regeneración". Basándose en Juan 3:3-5, explique con sus propias palabras cómo se da esta regeneración.

es volviendo a nacer del espíritu y agua.
vida espiritual el q' confía en cristo jesus.

9. ¿Por qué se dice que Jesús fue hecho por nosotros maldición? Enuncie su respuesta basado en Gálatas 3:13.

porq' escrito esta.
maldito todo el q' es colgado en un madero. por la ira de Dios vendría sobre nosotros y se hizo maldición Deuteronomio 21-22-23

10. Enumere las tres áreas que abarca la redención, teniendo en cuenta las siguientes referencias bíblicas:

Romanos 6:20-22 santificacion
Isaías 53: 4, 5 sanidad, dolores, enfermedades.
2ª Corintios 8:9 prosperidad, nos redimio de la pobreza

FUNDAMENTACIÓN
BÍBLICA BÁSICA

Juan 3:1-6

FUNDAMENTACIÓN
BÍBLICA
COMPLEMENTARIA

Juan 10:10b

Efesios 4:17-24

Santiago 1:18

Juan 6:63

Juan 15:3

Juan 1:12, 13

2 Corintios 1:22

Efesios 1:13

Isaías 1:6

2 Corintios 5:17

El Nuevo Nacimiento

LECCIÓN

TEXTO CLAVE

«Respondió Jesús y
le dijo: De cierto, de cierto
te digo, que el que no
naciere de nuevo, no puede
ver el reino de Dios»
Juan 3:3

PROPÓSITO

Mi madre tenía una lucha contínua con uno de mis hermanos. Él era rebelde y no había forma que cambiara; por el contrario, todo intento de transformar su conducta sólo daba como resultado una mayor rebeldía. Un día se apareció en la puerta de la iglesia y noté en él un semblante diferente. Se acercó y me dijo: «Ahora soy cristiano, Jesús vive dentro de mí. Tú sabes que he sido rebelde y violento, pero Jesús me ha cambiado. Días atrás le dije en oración: Jesús yo no voy a hacer nada por cambiar, si me quieres salvar, hazlo Tú mismo, no te voy a ayudar en nada. Sin terminar esta oración, sentí cómo una luz muy poderosa vino sobre mí, dejándome postrado en el piso, casi inconsciente. Empecé a ver que de mí salía otra persona completamente diferente a lo que yo era, pero a la vez era yo mismo. Giré un poco y vi mi antigua naturaleza, como un vestido viejo y despreciable; luego oí la voz del Señor que me decía: «Ahora voy a caminar contigo, pero tú debes hacer lo que yo te mande»

A partir de ese momento, la vida de mi hermano se convirtió en una fuente de inspiración para muchos que no creían que Dios podía cambiar a una persona.

Cuando el hombre está viviendo en sus delitos y pecados, podemos decir que actúa orientado por su vieja naturaleza, es decir, esa condición en que su entendimiento está entenebrecido y su corazón endurecido por desarrollar una conducta contraria a la voluntad de Dios.

La principal reacción del ser humano cuando descubre que es pecador, además de reconocer su necesidad de ser libertado de la esclavitud del pecado, consiste en desear experimentar una nueva vida, y la Biblia identifica este proceso como la necesidad de un "nuevo nacimiento".

1.¿QUÉ SE ENTIENDE POR NUEVO NACIMIENTO?

Es la experiencia que vive el ser humano cuando Cristo es aceptado en el corazón como único y suficiente Salvador.

Cuando el ser humano se ha distanciado de Dios por causa del pecado, aunque permanezca en contacto con el mundo externo y sea consciente de todas las cosas, su naturaleza espiritual está muerta. Al abrir la puerta de su corazón a Jesús, su vida espiritual empieza a fluir, porque Jesús dijo: "...yo he venido para que tengan vida, y para que la tengan en abundancia" (Juan 10:10b).

El nuevo nacimiento debe entenderse también como una regeneración espiritual que le da al hombre la garantía de ser admitido en el reino de Dios. En otras palabras, nadie puede llamarse cristiano, y mucho menos podrá entrar al reino de Dios, a través de sus esfuerzos personales, sin haber nacido de nuevo.

2. ¿EN QUÉ CONSISTE EL NUEVO NACIMIENTO?

Jesús le dijo a Nicodemo: "De cierto, de cierto te digo, que el que no naciere de nuevo, no puede ver el reino de Dios" (Juan 3:3).

Cuando Jesús murió en la cruz del Calvario, se ofreció en sacrificio por la restauración y redención integral del hombre, y le abrió la puerta para que viviera la experiencia de ingresar a una nueva vida, una vida alejada de la contaminación del mundo, las maldiciones, la pobreza espiritual, física y material, y de todo peso que pudiera agobiarle.
Jesús dio a entender a Nicodemo que todo ser humano, sin importar su condición social, cultural o económica, debe permitir que el Señor transforme su vieja naturaleza en una nueva; diseñada de acuerdo al propósito de Dios.

El papel de la Palabra en el nuevo nacimiento

"Él, de su voluntad, nos hizo nacer por la Palabra de verdad, para que seamos primicias de sus criaturas" (Santiago 1:18). Cuando una persona recibe el mensaje contenido en la Palabra de Dios, ésta produce un nuevo aliento que es impulsado por el Espíritu Santo. El Señor Jesús dijo: "El espíritu es el que da vida; la carne para nada aprovecha; las palabras que yo os he hablado son espíritu y son vida" (Juan 6:63).

La Palabra de Dios es la que produce un efecto concreto de limpieza en el interior de cada individuo, y le concede una nueva esencia, una nueva vida. (Efesios 5:26; Juan 15:3)

El papel del Espíritu en el nuevo nacimiento

Junto a la Palabra, en el proceso del nuevo nacimiento, interviene de manera específica el Espíritu Santo.

"Mas a todos los que le recibieron, a los que creen en su nombre, les dio potestad de ser hechos hijos de Dios; los cuales no son engendrados de sangre, ni de voluntad de carne, ni de voluntad de varón, sino de Dios" (Juan 1:12, 13)

Cuando nacemos de nuevo, el Espíritu Santo planta en nosotros la vida de Cristo y Él mismo se encarga de sellarla para que no sea revocada, garantizando la vida eterna (2 Corintios 1:22; Efesios 1:13)

HOMBRE VIEJO Y NUEVA NATURALEZA

Piense por un momento en alguien que tiene un vehículo que está bien deteriorado por el uso. Desea cambiarlo pero no cuenta con los recursos necesarios para hacerlo; no obstante, el dueño de un concesionario de autos lo busca y le dice: «Señor, ya tengo la solución a su necesidad: deme su carro viejo y yo le doy este Mercedes Benz último modelo sin pedirle ni un sólo centavo a cambio» Cualquiera podría decir: ¡Este es el mejor negocio del mundo!. Mucho mejor que este negocio es el hecho de que Dios tomó todo lo malo que éramos y, a cambio, nos dio todo lo bueno de su hijo Jesucristo.

Hombre viejo

El nuevo nacimiento tiene que ver con despojarnos totalmente del hombre viejo, para empezar a disfrutar de una nueva naturaleza. "De la punta del pie a la cabeza no hay nada sano en ustedes; todo es heridas, golpes, llagas abiertas; nadie se las ha curado ni vendado, ni les ha calmado los dolores con aceite" (Isaías 1:6, Biblia al Día)

Esta es la descripción de nuestra antigua condición o «antigua naturaleza», que implica andar de acuerdo a los deseos de la carne (Gálatas 5:19-21).

Nueva naturaleza

Al despojarnos totalmente del hombre viejo, de toda carga a causa del pecado, y recibir a Jesús como Señor y Salvador de nuestras vidas, Él nos coloca un vestido nuevo, nos llena de su presencia y nos entrega una naturaleza nueva, acorde a su carácter y propósito. "De modo que si alguno está en Cristo, nueva criatura es; las cosas viejas pasaron; he aquí todas son hechas nuevas" (2 Corintios 5: 17)

CONCLUSIÓN

La vida cristiana es la mejor manera de vivir sobre la tierra. En ella se experimenta la genuina felicidad. Sólo debemos cumplir con un requisito: no andar en el terreno del enemigo, porque, aunque Dios nos da todo, de la misma manera, nos exige que le entreguemos a Él todo lo que somos.

Si alguien aspira a ser reconocido como cristiano e ingresar al reino de Dios para gozar de la herencia de la vida eterna, debe experimentar el nuevo nacimiento, que consiste en renunciar a ser dirigido por los deseos de la carne para empezar a ser guiado por el Espíritu Santo a través de la fe en la Palabra de Dios.

APLICACIÓN

Asegúrese de haber experimentado el nuevo nacimiento teniendo en cuenta las palabras de Jesús a Nicodemo, es decir, destacando la importancia de ser inspirado por la Palabra de Dios y contar con la guía del Espíritu Santo.

Comparta con algunas personas el tema del nuevo nacimiento; hable de su experiencia personal, cuando se encontraba bajo la influencia del viejo hombre, y demuestre que su vida posee el fruto del Espíritu.

TAREA

Elabore una lista de aspectos de su vida que aún son parte de la vieja naturaleza, y confróntelas con la Palabra ¿Qué dice Dios acerca de ello?

2 Cuestionario de Apoyo

1. Según Efesios 4:17-19 escriba seis características del hombre viejo.

Anda en la vanidad de su mente

Teniendo el entendimiento entenebrecido

Está ajeno de la vida de Dios

por la ignorancia que en ellos hay

Siendo ignorantes por la dureza de su corazon

Al haber perdido la sensibilidad, se entrega a:

la lascivia

Y comete toda clase de impureza (ávidos)

Recuerde que el viejo hombre (antigua naturaleza) implica andar de acuerdo a los deseos de la carne, y que la nueva naturaleza surge cuando el hombre abre su corazón a Jesús y permite que Él more en su interior. Así empieza un avivamiento espiritual que transforma el patrón de conducta del ser humano.

2. Efesios 4:22 ¿Por qué tenemos que despojarnos del viejo hombre?

porq esta viciado a los deceos engañosos

3. Efesios 4:24 ¿Cómo es el nuevo hombre?

creado segun Dios en la justicia y santidad de la verdad q' es Jesucristo

4. Gálatas 5:19-21 Elabore una lista de las obras de la carne.

adulterio, fornicacion, lasivia, inmundicia, idolatria, hechiseria, pleitos, celos, iras, contiendas, disenciones, herejia, envidia, borracheras, orgias.

5. Gálatas 5:22. Enumere el fruto del Espíritu.

amor, paz, paciencia, benignidad, bondad, fe, mansedumbre, templanza

6. Según Romanos 12:1 ¿cómo debemos presentar nuestros cuerpos?

un sacrificio vivo, santo agradable a Dios

7. Según Romanos 12:2, al renovar nuestro entendimiento, ¿qué comprobamos?

la buena voluntad de Dios, agradable y perfecta

8. Según Romanos 3:10-11, ¿cuántos justos, entendidos y que buscan a Dios hay?

no hay justo, ni aun uno no hay quien entienda ni quien busque a Dios

9. Según Romanos 3:12, ¿para qué sirve el que se desvía?

para engañar y echar veneno como la áspit

10. Marque con una x la respuesta correcta.

Romanos 3:12-13. La garganta de los malos es comparada a:

a. Una nave de mercader que viene de lejos ( )
b. Una antorcha encendida ( )
c. Un sepulcro abierto (X)

¿Qué hay debajo de los labios de los que engañan:

a. Palabras de lisonja ( )
b. Un poco de malicia ( )
c. Veneno de víboras (✓)

11. Romanos 3:14. ¿De qué está llena la boca de los malos?

de maldición y de amargura.

FUNDAMENTACIÓN BÍBLICA BÁSICA

Lucas 15:11-32

FUNDAMENTACIÓN BÍBLICA COMPLEMENTARIA

Romanos 5:12

Romanos 1:21-25

Romanos 3:16-18

Génesis 3:10

Salmos 51

Mateo 27:3-5

Salmos 32:5

1 Juan 1:9

Gálatas 3:13

Colosenses 2:14-15

El Verdadero Arrepentimiento

LECCIÓN

TEXTO CLAVE

«...¡Cuántos jornaleros en casa de mi padre tienen abundancia de pan, y yo aquí perezco de hambre! Me levantaré e iré a mi padre, y le diré: Padre, he pecado contra el cielo y contra ti. Ya no soy digno de ser llamado tu hijo; hazme como a uno de tus jornaleros. Y levantándose, vino a su padre...»

Lucas 15:17-20

Antonio, un hombre de unos 46 años de edad, anhelaba entrevistarse conmigo para desahogar su corazón. Cuando lo recibí en mi despacho, rompió en llanto y me dijo: «Me siento culpable por la muerte de mis hijas de 3 y 5 años. Sé que le he fallado a Dios; he permitido en mi vida relaciones indebidas, y ahora me siento el ser más desdichado. Este golpe que he sufrido, es el más duro de todos. Estaba con ellas en un pueblo cerca de la ciudad de Bogotá, habíamos entrado en una de las tiendas, no sé cómo me descuidé y mis hijas salieron a la avenida. Ambas fueron atropelladas por un vehículo que había perdido sus frenos, y dejándolas muertas instantáneamente. Desearía con toda mi alma que el tiempo retrocediera para cuidar mejor a mis hijas. He derramado muchas lágrimas lamentando este suceso porque, por mi culpa, ellas ya no están conmigo».

Aunque la situación era bien dramática, pude ver un cuadro muy claro de lo que es el arrepentimiento reflejado en la vida de este hombre.

Las caracteristicas del arrepentimiento son:

· Reconocimiento de culpa
· Dolor profundo por haber fallado
· Deseo de retroceder el tiempo, para no volver a fallar
· Anhelo de una segunda oportunidad

Dios es misericordioso, a través de su Hijo Jesucristo, al visitar a todo aquel que experimenta una situación similar a la de este hombre, como así también a quienes estén dispuestos de corazón a reconocer su pecado, anhelando ser libres de su esclavitud. Dios le brinda la oportunidad de reconciliarse con Él, en la medida en que usted entre en el proceso de un genuino arrepentimiento.

1. ¿QUÉ ES EL ARREPENTIMIENTO?

No es una emoción sino una decisión de la voluntad, seguida por una acción ordenada. Según el griego, arrepentimiento es un cambio de mentalidad. por lo que es necesario cambiar pensamientos, actitudes y emociones. Arrepentimiento es sentir dolor profundo de haber ofendido a Dios. Es ver el pecado como Dios lo ve.

Es imposible llegar a un verdadero arrepentimiento a menos que el Espíritu Santo sea quien trate con nosotros y nos haga ver la magnitud de nuestros pecados y maldades.

El arrepentimiento se ha de entender entonces como «el proceso en que un individuo, que ha cometido un hecho indebido, quebranta profundamente su corazón y se humilla delante de Dios, reconociendo que es al Todopoderoso a quien le ha fallado». Esto implica, no sólo el reconocimiento del error, sino la firme decisión de no recaer en él.

Se trata de un acto originado en lo profundo del alma, en el que el individuo decide dejar de lado todo lo que contrista al Espíritu Santo, dando clara señal que no está impulsado por sus emociones, sino que ha determinado firmemente darle un verdadero sentido a su vida.

En el idioma hebreo, para expresar arrepentimiento se usa la palabra «metamelomai», que significa un sentimiento de cambio de conducta. Y en el idioma griego, «epistrophë» significa «volverse a», que equivale a dar media vuelta o volverse en U. En otras palabras, el arrepentimiento es darle la espalda al pecado y volverle el rostro a Dios (Romanos 12:2).

2. EL ARREPENTIMIENTO DESDE LA PERSPECTIVA DEL HIJO PRODIGO

Lucas 15:11-32 es uno de los cuadros más completos y de gran impacto acerca del arrepentimiento. La historia cuenta de un padre de familia, económicamente estable, que tenía dos hijos.

Un día el menor de ellos le pidió la parte de sus bienes para ir a malgastarlos, a prodigarlos con sus amigos, hasta que se quedó sin nada, viéndose en la necesidad de trabajar como jornalero, apacentando cerdos.

En medio de su agobiante situación, reflexionó diciendo: "...¡Cuántos jornaleros en casa de mi padre tienen abundancia de pan, y yo aquí perezco de hambre! Me levantaré e iré a mi padre, y le diré: Padre, he pecado contra el cielo y contra ti. Ya no soy digno de ser llamado tu hijo; hazme como a uno de tus jornaleros. Y levantándose, vino a su padre..." (Lucas 15: 17-20).

Lo que hizo este joven, más conocido como el hijo pródigo, fue tomar una decisión interna y, como resultado, asumir una conducta externa. Este fue el acto de arrepentimiento que lo impulsó a reivindicarse con Dios, consigo mismo, y con todos aquellos que habían sido afectados por su conducta.

ACTITUD DEL HIJO

Cuatro aspectos se destacan de la actitud de este joven, los cuales integran el proceso de verdadero arrepentimiento y son:

a. Hacer un alto en el camino para reflexionar sobre su condición actual.
b. Renovar su mente y decidir buscar una segunda oportunidad.
c. Decidir en su voluntad regresar al padre.
d. Confesar sus pecados.

ACTITUD DEL PADRE

Este cuadro tipifica la actitud del Padre bueno, quien está con los brazos extendidos para recibirnos una vez que tomamos el camino de regreso, y darnos entrada al hogar celestial. (Lucas 15:20-24).

a. Lo ve de lejos
   «y cuando aún estaba lejos, lo vio su padre»
b. Es movido a misericordia
   «...y fue movido a misericordia»
c. Sale a su encuentro
   «...y corrió, y se echó sobre su cuello, y le besó»

d. Prepara un traje de justicia
«Pero el padre dijo a sus siervos: Sacad el mejor vestido, y vestidle»
e. Restaura su autoridad
«...y poned un anillo en su mano»
f. Le confía el ministerio más grande: predicar el evangelio
«...y calzado en sus pies»

CONCLUSIÓN

Todo aquel que desee relacionarse con el Padre y gozar de sus bendiciones, debe pasar por el proceso del arrepentimiento genuino, que consiste en sentir dolor por haberle ofendido, y estar dispuesto de corazón a darle un nuevo sentido a la vida, con un cambio de pensamiento y de conducta.

APLICACIÓN

Elabore una lista con todas aquellas acciones pecaminosas que creía haber superado, pero que aún constituyen un obstáculo en su vida. Experimente el profundo dolor por haberlas cometido, confiéselas al Señor y renuncie a ellas, cortando toda maldición, en el nombre de Cristo Jesús.

Explique a una persona en qué consiste el verdadero arrepentimiento y ayúdele con su experiencia a aplicar los pasos para que también pueda gozar de la bendición del perdón de Dios.

TAREA

Formule a su clase un los siguientes casos y pidales que encuentren una forma de conducirlos al arrepentimiento:

a. Una persona que no es cristiana

b. Una persona que siendo cristiana, peca

3 Cuestionario de Apoyo

1. 2 Corintios 5:17. Diga tres cosas que le suceden a quien está en Cristo.

nueva criatura es, las cosas viejas pasaron, pasa de muerte a VIDA y modifica los aspectos

2. Isaías 55:6-8. Diga las tres cosas que debe hacer todo hombre

buscar a Jehova deje el impio su camino y el hombre inicuo sus pensamientos y vuélvase al señor

3. Hechos 17:30. ¿Cuál es el mandato de Dios a todos los hombres?

que nos arrepintamos genuino por q) mandara juicio

4. Marcos 1:4. ¿Qué hacían las personas que salían para ser bautizadas?

se arrepentian para perdon de pecado

5. Hechos 2:37-38. ¿Cuáles eran las promesas que Pedro dijo que tendrían si ellos se arrepentían y se bautizaban?

El perdon de pecado para recibir el don del espiritu Santo

6. Lucas 3:10-14. ¿Qué debían hacer los diferentes grupos que acudían al bautismo en agua?

El q) tenga dos tunicas de al q) no tenga q) no exijan mas de lo ordenado, no hacer extorsion a nadie ni calumniar conformarse con su salario

7. Según Marcos 16:16, ¿quiénes serían salvos?

los que creyeran y fuera bautizado y el que no será condenado.

8. Marcos 2:7. ¿Quién puede perdonar?

Solo Dios

9. 1 Juan 1:9. ¿Qué sucede si confesamos nuestros pecados?

el fiel y justo para perdonarnos y limpiarnos de toda maldad

10. Proverbios 28:13 ¿Quiénes prosperan?

los que confiesan sus pecados y se apartan

11. Levítico 26:40. Además de confesar nuestros pecados, ¿los de quiénes más debemos confesar?

de nuestros padres

12. Según Salmos 32:5, mencione tres actitudes que tuvo David para que Dios lo perdonara.

declarar el pecado, no encubrió su iniquidad con confesó sus transgreciones a Jehová

FUNDAMENTACIÓN BÍBLICA BÁSICA

2 Timoteo 3:16-17

FUNDAMENTACIÓN BÍBLICA COMPLEMENTARIA

2 Pedro 1:19-20

Hechos 13:16-40

1 Juan 2:21

Juan 14:9

Juan 16:13

2 Pedro 1:20

1 Pedro 2:2

1 Pedro 1:25

Isaías 55:11

La Biblia

TEXTO CLAVE

Toda escritura es inspirada por Dios, y útil para enseñar, para redargüir, para corregir, para instruir en justicia, a fin de que el hombre de Dios sea perfecto, enteramente preparado para toda buena obra.
2 Timoteo 3:16-17

PROPÓSITO

Es importante reconocer que, como cristianos, tenemos la necesidad de compartir a otros de Cristo y llevarlos a sus pies. Muchas veces, no tenemos fundamentos para derribar los argumentos mentales y espirituales que hay en las personas, porque no tenemos el conocimiento básico de la Palabra de Dios.

Cada una de las verdades que hay en las escrituras, nos llevan a un profundo conocimiento de Dios. Es a través de ellas que podemos afirmamos en la roca que es Cristo, como aquellos hombres que sometiéndose a la misma prueba, uno edificó su vida sobre los fundamentos sólidos de las Sagradas Escrituras que, exitosamente, lo llevaron a pasar la prueba y el otro no logró permanecer porque su vida no tenía buenos cimientos, terminando en fracaso.

La razón por la cual usted necesita conocer la Palabra es para llevar una vida de éxito, plenitud y cumplir con el propósito de Dios. Recibirá paz, confianza, sabiduría, corrección y victoria para enfrentar las dificultades y adversidades.

Hoy más que nunca, le invito a que disfrute de las promesas que Dios dejó asentadas en la palabra, la Biblia.

Sólo en la Palabra de Dios se encuentra la autoridad que justifica la fe del creyente y todas sus creencias. Ningún documento elaborado por el hombre puede reemplazar a la Biblia como libro perfecto, que revela el propósito divino con el hombre y que ofrece la orientación doctrinal que éste requiere para edificar su vida cristiana.

1. ¿QUÉ ES LA BIBLIA?

La palabra "Biblia" viene del griego "Biblos", que significa libros. Consideraban que estos escritos formaban por sí mismos un conjunto concreto y determinado, y que eran superiores a las demás obras literarias existentes. La Biblia es conocida como las Sagradas Escrituras, contenido que la eleva a la categoría de libro por excelencia.

El nuevo diccionario bíblico ilustrado destaca el hecho de que la Biblia no es meramente un libro, sino una gran cantidad de libros. El empleo del término "escritura" ilustra la diversidad de redactores y sin embargo que una maravillosa unidad presenta la Biblia, revelando una conducta inteligente, que no dejó de operar durante más de mil años.

La Biblia puede definirse como el libro sagrado que contiene la Palabra de Dios, escrita por distintos autores como revelación del Espíritu Santo.

2. IMPORTANCIA DE LA BIBLIA

Su importancia está dada por:

a. Contener la voz de Dios y la revelación de Cristo.
b. Contener las leyes divinas.
c. Su difusión Histórica. Recopila 66 libros que resumen el trabajo de 40 escritores de diferentes épocas.

3. ASPECTOS QUE DISTINGUEN LA BIBLIA DE LOS DEMÁS LIBROS

La Biblia es el registro de la revelación divina al hombre, es decir, Dios es su principal autor. Su finalidad es la salvación del hombre mediante el tratamiento de la verdad, sin que aparezca en ella ningún margen de error.

Teniendo en cuenta estos aspectos, se nota en la Biblia un

objetivo de instrucción que orienta a la humanidad hacia el conocimiento claro de la persona de Jesucristo como único camino al Padre, y, por consiguiente, el único instrumento de salvación.

Estos son algunos aspectos que la distinguen de otros libros:

a. La revelación de Dios al hombre

Esta revelación fue difundida originalmente en forma verbal, de generación en generación, y luego en forma escrita, en hebreo y arameo o griego. Poco a poco ha sido trasmitida a gran parte de la humanidad, lo que ha facilitado su conservación.

b. Lo referente a la salvación del Hombre:

La unidad de la Biblia, como se notará más adelante, consiste en que todo su contenido gira en torno al tema de la salvación del hombre. La orientación en las apreciaciones en cuanto a la salvación, se distinguen en tres sentidos:

1. Presentar a quien trae salvación, es decir, Dios a través de Jesucristo.
2. Indicar la manera en que dicha salvación puede ser obtenida, es decir, por la gracia de Dios, quien exige una manifestación de fe en su hijo y la obediencia a su Palabra.
3. Hablar de quien recibe salvación, es decir, todos aquellos que mediante la fe en Jesús, forman el pueblo de Dios o la Iglesia de Cristo (Hechos 13:16-40).

c. Lo referente a la verdad

Revelar la verdad que tanto anhela conocer el hombre respecto a la vida, es asunto fundamental de la Biblia. En las Sagradas Escrituras, Dios muestra que la verdad de la existencia y el destino del hombre van más allá de los límites terrenales, y que solo Él, en su omnisciencia y soberanía, puede darla a conocer.

Tomando en cuenta la verdad que Dios presenta a través de las escrituras, toda posibilidad de error se reduce a nada.

El mismo Señor Jesucristo, haciendo referencia a la verdad anhelada y necesitada por la humanidad, en una oración de despedida a sus discípulos, dijo:

"Santifícalos en tu verdad; tu palabra es verdad" (Juan 17:17).

A lo largo de la historia, la Palabra de Dios ha sido probada pero ha logrado salir adelante venciendo todo ataque y confirmando la palabra del apóstol Juan :

"No os he escrito como si ignorarais la verdad, sino porque la conocéis, y porque ninguna mentira procede a la verdad" (1 Juan 2:21).

d. Jesús como personaje central

A lo largo de los 66 libros que la componen, la Biblia hace referencia al instrumento usado por Dios para otorgar salvación al hombre: Jesucristo. Aun en el antiguo testamento continúa mencionando en forma declarada y manifiesta.

Prácticamente, es la persona de Jesucristo la que facilita la cohesión y la unidad de los escritos bíblicos. Al referirse al plan de salvación, las Sagradas Escrituras son claras. Indican que dicho plan solo habría de ser efectivo mediante Jesucristo, su ministerio, su sacrificio en la cruz del calvario y su resurrección para justificar la humanidad ante el Padre. Es Jesús el personaje destacado en las Escrituras como único camino a Dios.
Por eso, Él mismo dijo:

"El que me ha visto a mí ha visto al Padre" (Juan 14:9).

4. ESTRUCTURA BÁSICA DE LA BIBLIA

Libros Históricos y Biográficos

Incluye los libros desde Génesis hasta Ester, excluyendo Levítico. Plantea datos históricos acerca de la manera en que Dios se revela a sí mismo y su verdad, progresivamente.

Libros de la Ley

Incluyen Levítico, partes del Éxodo, Números y Deuteronomio. Su contenido expone las leyes dadas al pueblo de Israel en la época de su convivencia con naciones paganas.

Libros de Poesía y Sapiencia

Son los libros comprendidos entre Job y el Cantar de los Cantares. En su contenido se destaca el planteamiento de la poesía hebrea. Su exposición es variada; especialmente, el Libro de Proverbios expresa principios para la formación individual y social.

Libros Proféticos

Incluye de Isaías a Malaquías. El contenido de estos libros hace referencia a la historia escrita de antemano en relación a los acontecimientos distantes y otros de cumplimiento inminente.

Los Evangelios

Abarcan desde Mateo hasta Juan, en el Nuevo Testamento. Su contenido gira en torno a la vida de Jesús, incluyendo su nacimiento, ministerio, enseñanzas, milagros, sufrimientos, muerte, resurrección y ascensión.

El Libro de los Hechos

Contiene la historia del cristianismo del primer siglo, y destaca cómo las buenas nuevas de salvación por medio de Cristo fueron aceptadas por judíos y gentiles.

Las Epístolas

Abarcan desde Romanos hasta Judas. Son cartas de Pablo dirigidas especialmente a las iglesias de la época y a sus líderes. En su contenido se brinda la orientación a la congregación en cuanto a la fe cristiana y a la práctica de parámetros divinos.

El Libro del Apocalipsis

Es el libro que muestra simbólicamente los planes divinos respecto a los tiempos finales. Constituye un mensaje específico a las iglesias de finales del primer siglo y a los creyentes de todas las épocas. Su base son los acontecimientos futuros.

5 . ALGUNAS CARACTERÍSTICAS DE LA BIBLIA

Iluminación
Inspiración
Revelación
Exactitud
Unidad
Interés
Extraordinaria Circulación
Actualidad
Preservación
Profecías Cumplidas.

CONCLUSIÓN

Lo fundamental es que usted entienda la importancia de este Libro de libros para su vida, y no se quede ignorando lo que la Palabra dice para usted y los suyos; y que, a través de su lectura, se fortalezca espiritualmente para ayudar a otros en un futuro mas próximo.

APLICACIÓN

Si no ha leído toda la Biblia, empiece a hacerlo de una manera organizada. Analícela y medítela.

EVALUACIÓN

Un corto exámen escrito puede ser útil para evaluar los indicadores propuestos

TAREA

Aprender en orden todos los libros de la Biblia, para lograr manejarla de una mejor manera.

4 Cuestionario de Apoyo

COMPLETE

1. La Biblia es
ES EL LIBRO SAGRADO Q' CONTIENE LA PALABRA DE DIOS ESCRITA POR DIFERENTES PERSONAS EN DIFERENTES ÉPOCAS. como revelación del Espíritu Santo

2. ¿Por qué la Biblia es un libro sagrado?
POR Q' CONTIENE LA PALABRA DE DIOS ESCRITA INSPIRADA CON EL ESPIRITU SANTO A LOS AUTORES

3. ¿Cuál es la importancia de la Biblia? :
   a. CONTIENE LA VOZ DE DIOS Y REVELACION DE JESUS
   b. CONTIENEN LAS LEYES DIVINAS
   c. SU DIFUSION HISTORICA: TIEN 66 LIBROS revelada Q 40 ESCRITORES.

4. Explique cuál es el tema central de la Biblia
LA SALVACION DEL HOMBRE A TRAVEZ DE LA VERDAD DE JESUCRISTO sin q' aparesca ningun margen de error

5. ¿Cuál es la estructura básica de la Biblia?
LIBROS HISTORICOS BIOGRAFICOS, LIBROS DE LA LEY, LIBROS DE POESIA Y SAPIENCIA, LIBROS PROFÉTICOS, LOS EVANGELIOS, HECHOS, EPÍSTOLAS Y APOCALIPSIS

6. Sustente bíblicamente las siguientes características de la Palabra

Inspiración 2 PEDRO 1:21, MATEO 16:17 REVELACION POR DIOS AL HOMBRE

Revelación INSPIRACIÓN DE DIOS AL HOMBRE.

Preservación PROTEGER, DEFENDER, RESGUARDAR. ISAIAS 41:10

Profecías Cumplidas apocalipsis 19 - 9, 10 sacrificio de Jesus

Interés USURA Deuteuronomio 23-19

Actualidad 1 corintios 3-22,23 todo es nuestro en cristo jesus.

Unidad Efecios 4-13 hasta q.l todos llegemos a la unidad en la fe

Exactitud

Extraordinaria ciculación apocalipcis 1,5 nos lavo con su sangre

Preservación 2tito 4-18 me preservara para su reino

FUNDAMENTACIÓN
BÍBLICA BÁSICA

Mateo 6: 5-15

FUNDAMENTACIÓN
BÍBLICA
COMPLEMENTARIA

Hebreos 10:22
Mateo 23:25-26
Isaías 26:20
Santiago 4:3
2 Crónicas 7:14
Juan 4:23
Salmos 32 y 51
Nehemías 1
Juan 16:24
Salmos 100:4

La Oración

LECCIÓN

TEXTO CLAVE

«Mas tú, cuando ores,
entra en tu aposento, y cerrada
la puerta, ora a tu Padre
que está en lo secreto; y tu
Padre que ve en lo secreto te
recompensará
en público»
Mateo 6:6

PROPÓSITO

Indudablemente, la oración es uno de los medios que Dios ha establecido para cambiar vidas, familias, ciudades, naciones y continentes. Si el pueblo de Dios supiera verdaderamente cómo orar, nuestros gobiernos estarían cimentados en la verdad del evangelio de Jesucristo, comprometidos y luchando por el bienestar social de las personas. A través de toda la historia, encontramos que hombres sencillos pudieron creer en Dios y, por sus oraciones, sus naciones fueron transformadas. También reconciliaron al pueblo con Dios y trajeron un despertar espiritual.

El Señor nunca le enseñó a sus discípulos cómo predicar, pero sí les enseñó cómo orar. Él los reunió y les dijo: «Vosotros oraréis así...», y les dio instrucciones claras, sencillas, de cómo debería ser la oración eficaz. Si usted es un discípulo de Cristo, tiene que aprender a comunicarse con Dios. Cuando llega a su casa utiliza la llave apropiada para poder entrar. De la misma manera, solamente hay una forma para podernos comunicar con Dios y es a través de la oración. Esa es la llave maestra que abre la puerta para relacionarnos directamente con Él.

El propósito de esta lección es que usted conozca los niveles de oración, para que pueda comunicarse con Dios y lograr que las ventanas de los cielos se abran y las bendiciones de Dios sean derramadas sobre su vida hasta que sobreabunden.

LOS DIEZ NIVELES DE LA ORACION

Además de indicarnos cómo lograr oraciones efectivas, el Señor Jesucristo nos dio el Padre Nuestro como modelo de comunicación con Dios. Pero, no como una estructura para caer en la vana repetición, sino como una guía con niveles específicos que cubren las necesidades de la cotidianidad humana.

1. Nivel de Redención: «Padre nuestro»

Nadie puede llamar a Dios «Padre», si no ha sido redimido por la sangre de Jesucristo. Jesús podía llamar a Dios «Padre» porque tenía su misma naturaleza divina. Para que nosotros podamos hacer lo mismo, debemos ser adoptados como hijos de Dios, lo cual se logra por la fe en Jesucristo (Juan 1:12-13).

2. Nivel de Autoridad: «Que estás en los cielos»

A través de la oración, se reconoce que los cielos constituyen el trono de Dios. Se cree que el apóstol Pablo fue arrebatado hasta el tercer cielo (cielo de Dios), y por eso, en Efesios 1:17 y 18 dice el apóstol que anhela que cada creyente comprenda cuál es la esperanza a la que Dios nos llamó, cuáles son las riquezas de su gloria, la herencia que adquirimos con los santos y el extraordinario poder que nos ha sido dado, que es el mismo que operó en Cristo al ser resucitado de entre los muertos y al sentarse en los lugares celestiales (Efesios 1:19-23).

3. Nivel de Adoración: «Santificado sea tu nombre»

La naturaleza de Dios es santa, es decir, apartada completamente de maldad. Todo lo que Él creó fue con el propósito de que le adorara y le glorificara. Por esto, Jesús le dijo a la samaritana que el Padre buscaba adoradores en espíritu y en verdad (Juan 4: 23, 24)

4. Nivel de Gobierno: «Venga a nosotros tu reino»

El propósito divino es que su plan de gobierno para el ser humano sea entendido, aceptado y expandido por toda la tierra. Empieza por un individuo, quien luego involucra a su familia. Esta involucra a otras, hasta que el plan de Dios se establece en todas las esferas sociales. Llegando al nivel social, se dirigirá a la elección de representantes idóneos para ocupar cargos guvernamentales (Proverbios 29:2).

5. Nivel de Evangelismo: «Hágase tu voluntad como en el cielo, así también en la tierra»

La voluntad del Padre es que nadie se pierda, sino que todos procedan al arrepentimiento (Juan 6:39).
Nuestro compromiso debe ser que la manifestación del amor de Dios a través de su Hijo Jesucristo, se extienda por todo el mundo, y esto lo logramos compartiendo las buenas nuevas de salvación a todos los perdidos.

6. Nivel de Provisión: «El pan nuestro de cada día, dánoslo hoy»

El propósito de Dios es la prosperidad de sus hijos, tanto en el aspecto espiritual como en lo físico y material. Por eso, el apóstol Juan le dice al anciaño Gayo: «Amado, yo deseo que tú seas prosperado en todas las cosas, y que tengas salud, así como prospera tu alma» (3 Juan 2).

7. Nivel de Perdón: «Y perdona nuestras deudas así como también nosotros perdonamos a nuestros deudores»

Cuando oramos sin haber experimentado el perdón de Dios en nuestras vidas, y sin haber transmitido perdón a aquellos que nos han ofendido, nuestra oración carece de poder. La falta de perdón se convierte en una barrera entre Dios y nosotros.
(Mateo 5: 23, 24).

8. Nivel de Protección: «Y no nos metas en tentación»

El hombre se encuentra en constante peligro día tras día. La tentación siempre está cerca para intentar atraparlo. Sólo una vida disciplinada de oración buscando la protección de Dios, podrá mantenerlo lejos del peligro
(Proverbios 22:3; 1 Corintios. 6:18).

9. Nivel de Liberación: «Mas líbranos del mal»

Existen dos fuerzas que operan en el mundo espiritual: el bien y el mal. Una persona que haya experimentado el nuevo nacimiento ha pasado de las tinieblas a la luz, pero debe pedir constantemente en oración que Dios lo libre de enfermedades, accidentes, pestes, ruina económica, etc. Dios ha prometido colmarnos de bendiciones, pero siempre dependiendo de nuestra actitud de obediencia frente a su Palabra (Deuteronomio 28; Salmos 144:2)

10. Nivel de Seguridad: «Tuyo es el poder y la gloria»

La seguridad más firme y perdurable es la que Dios nos ha dado en Jesucristo. Aunque Jesús murió en debilidad, resucitó en poder y adquirió dominio en los cielos y en la tierra. Todas las cosas están sometidas bajo sus pies. Él es el que nos da seguridad y confianza (Juan 10: 27, 28)

CONCLUSIÓN

La oración es el medio provisto por Dios para que todo creyente establezca una relación íntima y contínua con Él. Es a través de la oración hecha con integridad y sinceridad de corazón que logramos abrir las puertas de los cielos para que las bendiciones sean derramadas sobre nuestras vidas en sobreabundancia. La vida de oración debe ser disciplinada, puesto que todo cristiano depende continuamente del Padre.

APLICACIÓN

Proponga en su corazón hacer de la oración un estilo de vida, algo inherente a su personalidad. Para ello:

· Elija una hora fija diaria
· Seleccione un lugar específico
· Use la Biblia como respaldo
· Lleve un registro de lo que el Señor le revela de acuerdo a sus peticiones.

TAREA

Ejercite la oración modelo, tanto individualmente como con su familia, teniendo en cuenta cada uno de los niveles que la integran. Asista por lo menos una vez a la semana a una reunión de intercesión.

5 Cuestionario de Apoyo

1. Escriba cuatro maneras de acercarnos a Dios (Hebreos 10:22).

corazon sincero
en plena sertidumbre de fe
purificados los corazones de malas consciencia
lavados los cuerpos con agua pura

2. Escriba, según Lucas 11:9, la respuesta correcta.

Pedid y se os dará
Buscad y allareis
Llamad se os abrirá

3. ¿Cuáles son los tres requisitos que debemos cumplir al orar? (Mateo 6:5-7).

a. orad en secreto
b. no seas hipócrita
c. no ores con muchas palabrería

4. Con sus propias palabras, haga un breve comentario de lo que significa para usted la oración del Padre Nuestro.

Es un modelo de como comunicarnos con el padre. para orar con sabiduria y no hacer vanas repeticiones, y darles el entendimiento del poder del padre

5. Complete las siguientes oraciones, de acuerdo a Filipenses 4:6

Por nada estéis afanados sino sean conocidas nuestras peticiones delante de Dios en toda oración y ruego con acción de gracias.

6. Escriba el texto correspondiente a continuación de cada texto.

a. Jeremías 33:3 llama a mi y yo te responderé y te enseñaré cosas grandes y ocultas que tu no conoces

b. Salmos 32:5 pero viviendo el yo ciñó avia respuesto en la boca de aquellos ¿ varones se encendió su ira mi pecado te declaré y no encubrí mi iniquidad.

c. Salmos 23:1 Jehová es mi pastor nada me faltará

d. Salmos 88:13 mas yo a ti he clamado oh Jehová.

e. Mateo 21:22 y todo lo que pidiereis en oración, creyendo, lo recibiréis

f. Hechos 2:42 y perseveraban en la doctrina de los apóstoles en la comunión unos con otros en el partimiento del pan y en las oraciones.

g. Santiago 5:13 ¿Está alguno entre vosotros afligido? Haga oración, ¿está alguno alegre? cante alabanzas.

7. Complete las oraciones del Salmo 34.

Bendeciré a Jehová en todo tiempo;
Su alabanza estará de continuo en mi boca
Mi alma se gloriará en Jehová lo oiran los mansos
Busqué a Jehová y él me oyó
Los que miraron a Él fueron alumbrados,
Este pobre clamó y le oyó Jehová
El ángel deJehová acampa al rededor de los que temen
Gustad, y ved que es bueno Jehová
Los leoncillos necesitan y tienen hambre pero los que buscan no tendrán falta de ningún bien
Os enseñaré El temor de Jehová
Guarda tu lengua del mal y tus labios de hablar engaño
Apártate del mal Los ojos de Dios están sobre los justos
Sus oídos al clamor de ellos
Claman los justos y Jehová los oye
No serán condenados cuantos en el confían.

8. ¿Cuáles son los tres grupos de personas por los que debemos orar? Según 1ª Timoteo 2:1-4.

1) por todos los hombres.
2) por los Reyes
3) y por los q. estan en eminencia.

9. Escriba tres maneras de orar, según Efesios 6:18,

a. en todo tiempo (echos 1-8)
b. con toda oracion y suplica en el spiritu
c. velando con toda perseverancia.

10. ¿Qué debemos pedir para los que predican el evangelio? Efesios 6:19

q. les sea dada revelada palabra con denuedo para dar a conocer

11. ¿Qué debemos hacer a diario? Salmo 37:5

encomendar a Jehova nuestro camino confiando en el.

FUNDAMENTACIÓN BÍBLICA BÁSICA

Mateo 28:19

FUNDAMENTACIÓN BÍBLICA COMPLEMENTARIA

Mateo 3:7-8

Marcos 1:3-5

Lucas 12:50

Hechos 8:15

Hechos 19:6

Romanos 6:3

Hechos 2:37-41

Romanos 6:4

El Bautismo

LECCIÓN

«Por tanto id y haced discipulos a todas las naciones, bautizandolos en el nombre del Padre, y del Hijo, y del Espiritu Santo».
Mateo 28:19

Podemos decir que en el Nuevo Testamento encontramos referencias de cuatro tipos de bautismo:

1. El Bautismo de Juan el Bautista

Se dio en el proceso de preparación del camino para Jesús (Mateo 3:7-9 y Marcos 1:3-5). Tenía lugar en el Jordán, hacia donde se dirigían las multitudes. Y es mencionado una y otra vez como bautismo de arrepentimiento.
Los que así se bautizaban debían dar frutos dignos de arrepentimiento, confesando sus pecados. Juan exhortaba al pueblo a que creyera en aquel que vendría tras él, Cristo Jesús, de quien Él mismo daba testimonio.
El Señor Jesucristo fue bautizado por Juan, no para confesión de pecados, sino para asociarse en gracia con el pecador arrepentido, para cumplir toda justicia.
Su bautismo fue la ocasión de su ungimiento por el Espíritu Santo, para empezar su ministerio. También fue el testimonio de que Jesús agradaba al Padre Celestial.

2. El Bautismo de Sufrimiento de Jesús

Este bautismo indica que Dios sumergió a Jesús dentro de los pecados y enfermedades del hombre, para poderle dar al mismo rectitud y justicia (Lucas 12:50).

3. El Bautismo Cristiano en Agua
Hechos 2:38

4. El bautismo Cristiano en el Espíritu Santo
Hechos 8:15, Hechos 19:6

A. Definición

Bautizo, viene de la palabra griega es "Baptizo", cuya raíz "Bapto", significa "mojar o teñir", algo que solo puede lograrse sumergiendo en agua. Este acto debe ser realizado por una autoridad espiritual, ya sea pastor, diácono o líder a quien se le haya concedido esa potestad (Romanos 6:3).

- Baptizo es la forma intensiva de "baptein" que significa "sumergir".

- En el bautismo, la idea expresada es la unión a alguien o a algo.

- El bautizo también es una orden que esta incluida en la gran comisión (Mateo 28:19).

- Por medio de él, nos identificamos con Cristo en su muerte, en su sepultura y en su resurrección (Romanos 6:4).

- Es una confesión pública de que estamos muertos con Cristo a nuestros pecados

B. Importancia del Bautismo en Agua

Lo primero que debemos entender es que es un mandato, que implica la identificación interna con Cristo como Señor, y constituye la identificación externa con su muerte y su resurrccción, muerte al pecado y resurrección a una nueva vida. Su importancia está dada porque, por medio del bautismo manifestamos ser discioulos de Jesús.

"El que dice que permanece en el, debe andar como el anduvo" (1 Juan 2:6)

A la edad de 30 años el Señor Jesucristo descendió a las aguas del bautismo. Esta fue la primera experiencia al iniciar su vida pública. Aun sabiendo de quién se trataba, Juan intentó oponerse a la solicitud de Jesús de ser bautizado por el diciéndole: "Yo necesito ser bautizado por ti, ¿y tú vienes a mí? Pero Jesús le respondió: Deja ahora, porque así conviene que cumplamos toda justicia" (Mateo 3:14-15).

Aunque el Señor no necesitaba pasar por el bautismo de arrepentimiento de Juan, pues no había cometido pecado alguno, ni hubo engaño en su boca, lo hizo para darnos ejemplo de obediencia, confirmando que éste era el requisito establecido por Dios para la justificación.
En 1 de Pedro 2:24 dice que Cristo nos dio ejemplo en todo para que siguiéramos sus pisadas.

Debemos ser bautizados en agua porque:

*Somos discípulos de Cristo — 1 Juan 2:6

*Cristo nos dio ejemplo — Mateo 3: 14-15

*Es un paso de obediencia por fe — Santiago 2:17-18

C. Requisitos para ser Bautizados

Al ser bautizados en agua, damos testimonio público de que todos nuestros pecados han sido lavados por la sangre de Cristo y que hemos sido sepultados por medio de su muerte para andar en una nueva vida. Para llegar a esta experiencia, que viene luego del arrepentimiento y la confesión de nuestra fe en Cristo, se hace necesario cumplir varios pasos o requisitos.

Creer

La creencia antecede al proceso del bautismo. Nadie puede ser bautizado sin antes haber creído. En Marcos 16:16 el Señor Jesús dice: "El que creyere y fuere bautizado, será salvo; mas el que no creyere será condenado"

Reconocer la obra de la cruz

La creencia del candidato al bautismo se remite al conocimiento del sacrificio de Cristo en la cruz del calvario como único camino de su redención. Notemos, en el caso del etíope, que él manifiesta claramente su convicción diciendo: "Creo que Jesucristo es el Hijo de Dios..." Se entiende que al decir esto, no sólo creía en Jesús como tal, sino tambien en su obra en la cruz.

Toda maldad del hombre Jesús la cargo sobre su cuerpo en la cruz, pero esto se confirma cuando cada individuo que cree en su obra redentora, baja a las aguas del bautismo.

Mostrar frutos dignos de arrepentimiento

Simón el mago creyó el mensaje de Felipe, se arrepintió y se bautizó. Cuando las multitudes acudían a Juan el bautista para ser bautizados, él decía:

"Oh generación de víboras! ¿Quien os enseñó a huir de la ira venidera? Haced pues frutos dignos de arrepentimiento" (Lucas 3:7-8)

Lo que da a entender Juan es que el arrepentimiento y el bautismo son consecuentes, van juntos. Es necesario mostrar el fruto de arrepentimiento. Por ello, cuando le preguntaron: "¿Qué haremos?" Él respondió: "El que tiene dos túnicas, dé al que no tiene; y el que tiene para comer haga lo mismo".

En Hechos 2:38, encontramos la reconfirmación de este requisito cuando Pedro, finalizando su discurso entre los judíos, dijo: "Arrepentíos, y bautícese cada uno de vosotros en el nombre de Jesucristo para perdón de pecados; y recibiréis el don del Espiritu Santo".

En resumen, la creencia en el mensaje de la Palabra, es decir, el reconocimiento del sacrificio de Cristo en la cruz, se manifiesta a través de la confesión de fe. Son pasos que anteceden al bautismo. Estos aspectos nos permiten determinar que es imposible el bautismo de infantes por cuanto ellos aún no se encuentran en condiciones de clara conciencia para asumir este compromiso.

D. Beneficios del ser bautizados

Tres pasos significativos se dan en el bautismo:

1. Los cielos se abren

En otras palabras, se establece la posibilidad de que su relación con Dios sea más directa. El bautismo le da derecho a comunicarse personalmente con su Señor, y sus oraciones entran sin impedimentos a la presencia de divina.

2. El Espíritu Santo desciende sobre su vida

La llegada del Espíritu Santo es para revestir a cada persona en su hombre interior. "Porque todos los que habéis sido bautizados en Cristo, de Cristo estáis revestidos" (Galatas 3:27).

3. La voz de Dios viene al corazón

Toda persona que pasa por el bautismo en agua tiene la oportunidad de escuchar al Señor diciendo: "Tú eres mi hijo amado y en ti tengo complacencia. A través de esta palabra, Dios nos hace ver que cuando bajamos a las aguas del bautismo, El se goza en gran manera con nosotros, empezando a vernos como sus hijos.

Es interesante notar que Jesús recibió la plenitud del Espiritu Santo en su vida solo después de haber sido bautizado.

CONCLUSIÓN

Debemos ser bautizados pues, como seguidores de Cristo, actuamos de acuerdo a su propio ejemplo. Él no fue rociado con agua, sino que realmente fue totalmente sumergido. Jesús ordenó el bautismo y guiados por Él, los apóstoles extendieron esta enseñanza (Hechos 2:37-41). Y en cuanto a nosotros respecta, hacemos valer nuestra fe obedeciendo el mandato de Jesús.

APLICACIÓN

En nuestra vida cristiana es importante cumplir con el mandato del bautismo. Es fundamental que entendamos su importancia. Debemos bautizarnos, si no lo hemos hecho; y si ya lo hicimos, explicarles a otros la bendicion de hacerlo.

TAREA

Cada alumno debe bautizarse antes que se termine el primer nivel.

Cuestionario de Apoyo

COMPLETE :

1. ¿Qué significa la palabra "bautismo"?

sumergirse en agua para cumplir la orden de la gran comisión.

2. Dé una razón por la cuál Jesús se bautizó.

para compararse al hombre en sus pecados y enfermedades para luego para dar al mismo tiempo rectitud y justicia

3. ¿Cuál es la importancia del bautismo? Susténtelo bíblicamente

a. para dar obediencia al mandato de dios.
b. para morir al pecado. y
c. por medio del bautismo manifestamos ser disipulos de jesus.
mateo 20 - 22,23.

4. ¿Cuáles son los requisitos que se necesitan para ser bautizados?

creer
reconocer la obra de la cruz
mostrar frutos dignos de arrepentimiento.

5. Explique por lo menos dos beneficios de ser bautizados.

El perdon de pecados.
y recibir el don del espiritu santo

6. Sustente por lo menos con tres citas biblicas el mandato del bautismo.

Romanos 6 - 3,4
marcos 16-16
hechos 2,38

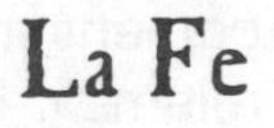

La Fe

7

LECCIÓN

FUNDAMENTACIÓN BÍBLICA BÁSICA

Hebreos 11:1-41

FUNDAMENTACIÓN BÍBLICA COMPLEMENTARIA

Génesis 15:6

Salmos 55:22

Salmos 57:1

Job 13:15

Isaías 40:31

Lucas 5:4,5

Isaías 1:19, 20

1 Pedro 1:7

TEXTO CLAVE

«Es, pues, la fe la certeza de lo que se espera, la convicción de lo que no se ve... Pero sin fe es imposible agradar a Dios; porque es necesario que el que se acerca a Dios crea que le hay, y que es galardonador de los que le buscan»
Hebreos 11: 1 y 6

PROPÓSITO

«El ambiente espiritual en esta ciudad es demasiado difícil, la gente no se quiere comprometer con las cosas de Dios». Estas fueron las palabras de uno de los pastores que fue a recibirme al aeropuerto de Montreal, cuando viajé a Canadá. Mi respuesta al comentario fue: «El problema no está en la gente, está en usted mismo». Pasé luego a contarle una anécdota del Dr. Norman Vincent Peel cuando estuvo en la China. El Dr. Peel, entró a un establecimiento que se dedicaba a la elaboración de tatuajes en la piel, y le llamó la atención una frase que decía: "Nacido para perder". Con sorpresa preguntó a quien lo estaba atendiendo: ¿Alguien sería capaz de tatuarse eso en su piel?, el chino le respondió: sí, hay algunos. ¡No me cabe en la mente que alguien pueda llevar sobre su piel tal frase!, dijo el pastor. Pero quedó más sorprendido cuando el chino le dijo: Antes de que la frase sea tatuada en la piel, la persona ya la tiene tatuada en su mente.

Mirando a los ojos de este pastor en Montreal, le dije: «Si usted cree que a la gente de esta ciudad le es difícil aceptar las cosas de Dios, ése será su resultado; pero si cree que los podrá alcanzar con el evangelio, entonces verá el fruto de su fe».

Escuché a un conferencista que dijo: «Lo que pensamos en los primeros cinco minutos después de despertarnos, trazará el curso de todo el día». Los sicólogos aseveran que los cinco primeros años de vida del ser humano influyen poderosamente en el rumbo de su destino. Debido a las impresiones negativas que han tenido que vivir, algunos han aceptado que el enemigo haya tatuado en sus mentes "naciste para perder" o «eres un fracasado". Mas en la cruz del calvario, el Señor Jesucristo borró cualquier marca que él haya puesto sobre nuestras vidas, para luego impregnar otra marca: "Eres hijo de Dios" (Juan 1:12).

Esta marca o sello impreso por el mismo Espíritu de Dios en nuestros corazones, nos da el derecho legal sobre las circunstancias, ya que hemos pasado a ser parte de la familia de Dios.

La presente lección le ayudará a conocer los principios que rigen la fe victoriosa, y encontrará los elementos para avivarla en su corazón.

DESARROLLO DEL TEMA

LA FE NOS HACE VENCEDORES

Ningún hijo de Dios es un fracasado, Pese a que tengamos que pasar por diferentes adversidades, en Cristo somos más que vencedores. Usted mismo decide qué clase de fe va a tener. Juan dijo: "Porque todo lo que es nacido de Dios, vence al mundo, y esta es la victoria que ha vencido al mundo, nuestra fe" (1 Juan 5:4)

¿Quién es el que vence al mundo? El que cree que Jesús es el Hijo de Dios.

Cuando el anciano Policarpo fue llevado al circo romano para ser juzgado por su fe en Jesucristo, el procónsul le dijo: ¡Maldice a Cristo y te devolveré la libertad!. Policarpo respondió:

«Hace 86 años le sirvo, y Él no me hizo ningún daño, ¿Cómo podré maldecir a mi Rey y Salvador? Ya que parecéis ignorar quién soy, os diré con franqueza que soy cristiano». No tuvo temor ni a la ira del emperador, ni de la multitud, que enardecida exclamaba: ¡Quemadle!, ¡quemadle! No tuvo miedo tampoco de las fieras salvajes, ni a la hoguera, ni a la muerte, porque para él, Cristo era el todo y en todos.

Por la fe vencemos al mundo

El apóstol Juan dijo: "Sabemos que somos de Dios, y el mundo entero está bajo el maligno" (1 Juan 5:19).

Existen poderes de maldad en los aires que tratan de controlar y manipular individuos, familias, organizaciones, poderes políticos y eclesiásticos, etc., haciéndose necesario desarrollar una fe activa que pueda traer la presencia de Dios a nuestras familias para que luego se extienda a nuestras ciudades y naciones.

El apóstol Pablo escribió a los Corintios: «Pues aunque andamos en la carne, no militamos según la carne; porque las armas de nuestra milicia no son carnales, sino poderosas en Dios para la destrucción de fortalezas, derribando argumentos y toda altivez que se levanta contra el conocimiento de Dios, y llevando cautivo todo pensamiento a la obediencia a Cristo».
(2 Corintios 10:3-5)

Por la fe vencemos todo argumento en contra nuestra

El área del ser humano que más le interesa al adversario es la mente, en ella es donde se desarrolla la fe. Todos los esfuerzos que hace, son para esclavizarlo mentalmente, a fin de que no tenga tiempo para pensar en las cosas de Dios, manteniéndolo alejado de cualquier contacto con la Palabra.

Sin embargo, el hombre de Dios con autoridad espiritual debe identificar y derribar cualquier fortaleza que el adversario haya levantado en su mente, anular todos los argumentos que haya esgrimido en su contra y cancelarlo en la cruz del calvario. Cualquier pensamiento fuera de orden, debemos simplemente atarlo y someterlo a la autoridad de Jesús.

Tenemos la ayuda de Dios, y aunque el mundo entero se encuentra bajo el control del maligno, poseemos las armas que Dios nos ha entregado para vencer al enemigo y a todos sus ejércitos, Pablo dijo: "Porque mayor es el que está en vosotros, que el que está en el mundo" (1 de Juan 4:4).

La fe es el motor que impulsa al hombre a lo largo de la vida cristiana, y la misma viene como consecuencia de una dependencia total de la Palabra de Dios, porque la Biblia dice: «Así que la fe es por el oír, y el oír, por la palabra de Dios»
(Romanos 10:17).

Transitar por la vida cristiana implica mantenerse en sujeción y obediencia a los principios divinos, los cuales se encargan de ir fortaleciendo nuestra confianza en Dios. D.L. Moody dijo: «Antes, cerraba mi Biblia y pedía fe. Luego, abría mi Biblia y comenzaba a estudiar, y desde entonces, mi fe no ha cesado de crecer».

DIFERENTES CLASES DE FE

A. La fe creadora

"...por la fe entendemos haber sido constituido el universo por la palabra de Dios, de modo que lo que se ve fue hecho de lo que no se veía" (Hebreos 11:3).
Dios nos dotó de su misma naturaleza, y a través de la fe llamamos las cosas que no son como si fuesen. Del mismo modo que Abraham creyó que Dios le daría un hijo, aunque las circunstancias le eran contrarias, la fe tiene la capacidad de ver lo que no percibe la vista física.

María creyó a las palabras del ángel y, sin conocer varón, concibió del Espíritu Santo. Si el creyente le cree a Dios y deja que su Palabra se convierta en rhema para su vida, notará que esta Palabra concibe el milagro en el fuero interno de su ser, y luego verá los resultados.

B. Fe para sanar el alma

"El corazón alegre hermosea el rostro; mas por el dolor del corazón el espíritu se abate" (Proverbios 15:13).

Una de las áreas que más nos impulsa a movernos en la dimensión de la fe es la que se relaciona con la sanidad interior, o sanidad del alma herida. Se requiere de una dosis especial de fe para que el alma de las personas sea restaurada.

C. Fe para ofrendar

"Por la fe Abel ofreció a Dios más excelente sacrificio que Caín, por lo cual alcanzó testimonio de que era justo, dando Dios testimonio de sus ofrendas; y muerto aún habla por ella" (Hebreos 11:4).

El Señor exalta la fe de Abel por encima de la de Caín porque, aunque éste también presentó ofrenda, a Dios no le agradó, ya que iba acompañada de mezquindad, indiferencia, egoísmo y desinterés en reconocer a Dios como su Creador. La fe para ofrendar es la misma fe que enriquece.

D. Fe para sanidad (física)

"Ciertamente llevó él nuestras enfermedades, y sufrió nuestros dolores; y nosotros le tuvimos por azotado, por herido de Dios y abatido. Mas él herido fue por nuestras rebeliones, molido por nuestros pecados; el castigo de nuestra paz fue sobre él, y por su llaga fuimos nosotros curados" (Isaías 53: 4, 5)

La fe es determinante para obtener sanidad física; es tener la convicción de la restauración del área afectada, como una realidad conquistada por Jesucristo en la cruz.

CARACTERÍSTICAS DE LA FE

A través de las Sagradas Escrituras se encuentra un amplio listado de características que destacan la fe como un don de Dios.

Las siguientes son algunas de ellas:

· Cree a las palabras del Señor — Lucas 5: 4, 5

· Está por encima de los sentidos — Isaías 1:19, 20

· Supera la duda y la incredulidad — 1 Pedro 1:7

CONCLUSION

Fe es la confianza plena que el creyente deposita en Dios y en cada una de sus promesas, y que le permite declarar lo que no es como si fuese. Es un factor que, a diferencia de la esperanza, actúa en el presente. Es el principal requisito que Dios nos exige para acercarnos a Él. Opera en todas las áreas de nuestra vida, ayudándonos a experimentar lo sobrenatural.

APLICACIÓN

¿Qué emblema tiene usted tatuado en su mente?
Recuerde que como hijo de Dios, el Señor tatuó en su corazón "Nacido para triunfar".

Trate de cuidar diligentemente cada pensamiento que llegue a su mente, y proponga en su corazón no va aceptar ni un solo pensamiento negativo por todo un día. Cuando lo haya logrado, extiéndalo a una semana, y luego a un mes, y notará que todos los pensamientos que cruzan por su mente vienen del Espíritu de Dios.

TAREA

Los alumnos pueden investigar en la Biblia sobre dos casos en los cuales se demuestre la fe verdadera y la falta de fe. De esta manera, se determinará si hubo o no comprensión del tema enseñado. Ésta puede ser una tarea para revisar en la próxima clase.

7

Cuestionario de Apoyo

1. La palabra fe aparece unas 128 veces en el Nuevo Testamento. Seleccione seis textos alusivos a la fe que hayan impactado su vida, y explique por qué.

A. ______________________ porque ______________
____

B. ______________________ porque ______________
____

C. ______________________ porque ______________
____

D. ______________________ porque ______________
____

E. ______________________ porque ______________
____

F. ______________________ porque ______________
____

2. Hebreos 11: 6. La fe es una condición para agradar a Dios y creer que le hay, y que es galardonador de los q' le buscan

3. 2 Corintios 5:7. Porque por fé andamos, no vista

4. Defina los términos "certeza" y "convicción", expuestos en Hebreos11:1.

Certeza: Conocer seguro de lo q' se espera

Conviccion: Estar convencido de lo q' no se ve.

5. Basado en Hebreos 11, relacione lo que les sucedió o lo que hicieron los siguientes personajes guiados por la fe:

ABEL ofrecio por fe más extlente sarrifi-
cio q. Kain

ENOC fue transpuesto para no ver
muerte y no fue hallado

NOÉ cuando fue advertido por Dios
aserca de las cosas q. no seveían.

ABRAHAM siendo llamado salio al lugar.
q. recibiría herencia.

SARA

ISAAC en isaac se cumplio la promesa
de la desendencia.

JACOB por fe bendijo a cada uno
de los hijos de josé

JOSÉ dio mandamiento a serca de sus
huesos

MOISÉS saco a los isrraelitas. abrio
el mar en dos.

RAHAB (LA RAMERA) no perecio juntamente
con los desobedientes

6. Cuando el ángel visitó a María, indicándole que había sido escogida como la madre de Jesús, ella lanzó una expresión que resume su creencia y aceptación por la fe. ¿Cuál fue esa expresión? (Lucas 1:38)

Entoces María dijo He aquí la sierva del Señor;
hágase conmigo conforme a tu palabra. Y el
a

7. Lucas 5:4, 5. Complete el siguiente texto que concreta el acto de fe de Pedro:
"Cuando terminó de hablar, dijo a Simón: Boga mar adentro, y echad vuestras redes para pezcar

Respondiendo Simón, le dijo: Maestro, toda la noche hemos estado trabajando, y nada hemos pescado, mas en tu palabra echaré la red

8. Algunas fuerzas invisibles trabajan para debilitar nuestra fe por medio de la incredulidad, pero el apóstol Juan enseña algo al respecto. Explíquelo con sus propias palabras (1 Juan 5:10)

9. La fe es un elemento que distingue al guerrero espiritual. Describa los otros instrumentos de la armadura de Dios según Efesios 6:10-18.

10. Relacione los siguientes textos con el acto de fe correspondiente:

A. El hombre de la mano seca	Marcos 5: 28, 29 (E)
B. El paralítico de Capernaúm	Marcos 7: 26-30 (D)
C. La hija de Jairo	Mateo 12: 13 (A)
D. La mujer Sirofenicia	Lucas 8:40-42; 50 (C)
E. La mujer que tocó el manto	Marcos 2:11, 12 (B)

FUNDAMENTACIÓN BÍBLICA BÁSICA

Juan 14:15-26

Hechos 1:7-9

FUNDAMENTACIÓN BÍBLICA COMPLEMENTARIA

Hechos 2:1-23

Efesios 1:11-14

Hechos 10:38

Juan 16:14-15

Juan 3:1-15

Juan 16:13

1 Corintios 2:9, 10

Hechos 1-8

El Espíritu Santo

LECCIÓN

TEXTO CLAVE

"Mas el Consolador, el Espíritu Santo, a quien el Padre enviará en mi nombre, él os enseñará todas las cosas, y os recordará todo lo que yo os he dicho"

Juan 14:26

"¡Señor! ¿Cómo hago para saber que estoy en lo correcto, y que no llegué a un grupo de error?" Esa fue parte de mi oración a los pocos días de haberme convertido al cristianismo. Aunque estaba de rodillas frente al altar de una pequeña iglesia, por mi mente pasaban muchos pensamientos que me hacían dudar. Ya había leído suficiente de la Biblia como para saber que podíamos pedirle señales al Señor.

Prosiguiendo con la oración, le rogue: "Señor, si esto es tuyo, te pido como señal que me permitas verte, que impongas tus dos manos sobre mi cabeza y me unjas".

Sin haber terminado la oración, sentí detrás de mí la presencia de una persona. En mi espíritu me di vuelta para mirarla, y vi la figura de un ser glorioso, vestido de blanco. Lentamente, mi mirada fue subiendo, tenía un gran deseo de ver su rostro, cuando por fin lo logré. Experimenté algo semejante a cuando alguien ha estado mucho tiempo en la oscuridad e intempestivamente abre sus ojos a la luz del mediodía. El impacto es tan fuerte que por más que uno quiera, no puede mantener sus ojos abiertos. Es tal la belleza del rostro del Señor, que nuestros ojos aun no están preparados para soportarla. Cuando le vi, las fuerzas que había dentro de mi cuerpo desaparecieron, y quedé postrado en el piso como fulminado.

El Señor se inclinó y puso sus dos manos sobre mi cabeza. En ese momento, sentí que todo mi ser se llenaba de una gloria poderosa, emanada de la misma presencia de Dios. Luego empecé a expresarme en un lenguaje que no entendía; después en otro, luego en otro, y así sucesivamente, hablé como en siete lenguas diferentes. Pero para mí, eso no era lo más importante, sino saber que Dios estaba dentro de mí y que lo podía sentir.

Cuando me levanté de mis rodillas, saltaba de gozo, corría, abrazaba a las personas y, emocionado, les decía: ¡Dios está dentro de mí! Pero todo era extraño para los demás; ninguno en aquella iglesia me comprendió. Mi familia pensó que estaba atravesando por un momento de crisis emocional y trataron de atribuirlo a la edad. Pero por dentro, yo sabía que jamás volvería a ser el mismo, porque el Espíritu de Dios estaba morando dentro de mí y eso era lo que importaba.

Al convertirnos en cristianos, empezamos a gozar de los mejores privilegios de la vida, los cuales dependen de la comunión genuina y permanente con el Padre, el Hijo y el Espíritu Santo. En Juan 20:22, leemos: "Y habiendo dicho esto, sopló, y les dijo: Recibid el Espíritu Santo". Recibir al Espíritu Santo es recibir el sello de la promesa, que nos garantiza como hijos de Dios.

Para el Señor Jesús era muy importante que cada uno de sus seguidores aprendiera a caminar con el Espíritu de Dios. Él, siendo el mismo Dios encarnado, necesitó de su presencia para desarrollar exitosamente la tarea que el Padre le había confiado. La ausencia del Espíritu Santo en la vida del creyente equivale a tener un cuerpo sin espíritu. El Espíritu de Dios debe ser todo para el cristiano porque sin Él nunca se podrá desarrollar todo el potencial asignado por el Creador. Cuando un creyente permite que el Espíritu Santo le tome, entonces Él queda como un sello indeleble en su vida, distinguiéndolo como un cristiano ungido por el poder de Dios.

En esta lección, el estudiante entrará a conocer a esta interesante persona de la Trinidad y, lo que es más importante, experimentará la necesidad de establecer una amistad con Él, entendiendo que se trata de la presencia de Dios en su vida.

1. PROFUNDIZANDO EL CONOCIMIENTO DEL ESPÍRITU SANTO

Todos debemos llegar al conocimiento pleno de quién es el Espíritu Santo y comprender su obra.
Los siguientes elementos ayudan a identificarlo mejor:

a. Es una persona

El Espíritu Santo es una persona tan real como el Señor Jesucristo. Es la tercera persona de la Trinidad, en la que Jesús tenía plena confianza de que podía representarlo fielmente. Por ello, lo dejó como promesa a sus discípulos. Sin embargo, es una persona a la que el mundo no ve, ni le puede recibir porque el Espíritu de Dios es dado sólo a aquellos que reconocen a Jesús como su Señor y Salvador.

Los siguientes razones ayudan a confirmar que el Espíritu es una persona:

· Habla	Hechos 13:2 - Juan 16:13
· Orienta y advierte	Hechos 16:6-7
· Brinda ayuda e intercede	Romanos 8: 26
· Guía	Romanos 8:14 - Juan 16:13
· Testifica	Juan 15:26
· Se contrista o entristece	Efesios 4:30

b. Es Dios mismo

La obra del Espíritu Santo puede verse desde el momento de la creación hasta nuestros días; y sus atributos nos permiten identificarlo como Dios mismo. Las siguientes citas bíblicas nos orientan al respecto: Lucas 1:35; Salmos 139:7; Hebreos 9:14; 1 Corintios 2:10, 11.

c. Glorifica a Jesús

Todo lo que el Espíritu hace contribuye a glorificar a Jesús. Cuando una persona deja de glorificar a Jesucristo con sus actos, sus palabras, etc, el Espíritu Santo se hace a un lado. Si tenemos una amistad estrecha con Él, lograremos el acceso directo a los tesoros divinos y la tercera persona de la Trinidad se encargará de ayudarnos a disfrutarlos. En otras palabras, la fe en Jesucristo nos da derecho legal a sus riquezas, pero la comunión con el Espíritu es la que nos permite disfrutarlas. Cuando glorificamos a Jesús con nuestros actos, el Espíritu se goza y acrecienta su poder en nosotros (Juan 16:14-15; Juan 7:38, 39)

d. Nos hace nacer de nuevo

Es sólo por medio del Espíritu Santo que llegamos a ser considerados hijos de Dios, ya que es su obra en nuestras vidas la que nos permite nacer de nuevo. Recordemos la inquietud de Nicodemo con respecto al nuevo nacimiento, y la respuesta del Señor en Juan 3: 5 y 6. Para poder nacer del Espíritu de Dios se hace necesario morir primeramente. Es decir, si una persona no muere al pecado, el Espíritu no se vivifica en ella.

e. Es nuestro guía

Cuando Jesús estuvo en la tierra dijo: "Yo soy el camino, y la verdad, y la vida...", Él fue y sigue siendo el único camino al Padre. Pero, al irse, Jesús prometió enviar al Espíritu Santo para guiarnos, a fin de que no nos apartemos de la senda correcta (Juan 16:13). Él es el que puede interpretar correctamente el mapa de la Palabra de Dios y, como dijo Jesús, nos llevará a toda verdad.

Quien no cultive una comunión íntima con el Espíritu Santo, corre el peligro de desviarse doctrinalmente.

f. Nos revela los secretos divinos

El Padre y el Hijo comparten las riquezas infinitas de su gracia, pero a nosotros nos son dadas a conocer claramente por el Espíritu Santo. Como administrador autorizado de esas bendiciones, de esas riquezas, y de todos los secretos divinos, el Espíritu las imparte a aquellos que, por la fe, nos hemos rendido a Jesús y al mismo Espíritu (Deuteronomio 29:29; 1 Corintios 2:9, 10)

2. PASOS PARA RECIBIR LA LLENURA DEL ESPÍRITU SANTO

a. Limpieza de corazón

El Señor dijo: "Nadie echa vino nuevo en odres viejos" (Lucas 5:37). El vino representa la fresca y enérgica presencia del Espíritu Santo, que quiere vertirse en vidas completamente regeneradas. Los odres viejos representan a aquellas personas que experimentaron la presencia del Espíritu en sus vidas por algún tiempo pero que, por diversas circunstancias perdieron la comunión con Dios. El odre nuevo es la vida completamente transformada por Dios (2 Corintios 5:17).

b. Creer

En la vida cristiana damos todos nuestros pasos en fe y por fe. Cuando se pide el bautismo en el Espíritu Santo, ya en fe debemos aceptar que lo tenemos, y empezar a hablarle al Señor en nuevas lenguas. Si una persona está llena de Dios lo expresará con sus palabras. Si por el contrario, está llena de odio y amargura, también usará las palabras para demostrarlo porque son los labios los que desahogan lo que hay en el corazón (Mateo 12:34).

c. No prestar nuestro cuerpo al pecado

Debemos recordar permanentemente que el Espíritu Santo es la presencia de Dios en nuestras vidas. Eso mismo nos indica el apóstol Pablo en 1 Corintios 3:16 "¿No sabéis que sois templo de Dios y que el Espíritu Santo mora en vosotros?" Este texto nos enseña que nuestro cuerpo ha sido escogido por Dios como la habitación de su Espíritu, y éste no puede estar en una casa contaminada por el pecado. Ver también Romanos 6:13 y Santiago 3:8-12.

d. Recibir al Espíritu Santo voluntariamente

El Espíritu Santo es un caballero que sólo entrará a la vida de una persona cuando ésta lo decide voluntariamente y lo invite a seguir. Él entra a controlar todas las áreas del ser humano, brindándole poder y libertad absoluta (2 Corintios 3:17).

CONCLUSIÓN

El Espíritu Santo es la tercera persona de la Trinidad (Padre, Hijo, Espíritu Santo), y es la promesa de Jesús a sus discípulos convertida en realidad, siendo el Consolador que había indicado que enviaría tan pronto Él se fuera. El Espíritu de Dios llega para morar en la vida del creyente como su amigo y su guía, y lo reviste de poder para controlar todas las áreas de su ser.

APLICACIÓN

Asegúrese de contar con la guía del Espíritu Santo en su vida. Examine cada uno de sus pasos y observe, de acuerdo a su conducta y a los logros que obtiene en cada actividad que realiza, si realmente ha experimentado la compañía del Espíritu Santo tal como ha aprendido en la lección.

TAREA

Mire cada una de las áreas que integran su vida y destaque aquellas que están controladas por el Espíritu Santo. Si encuentra algún área en debilidad, tome el tiempo para pedir al Espíritu que la sature, a fin de que su comunión con Él sea integral.

8 Cuestionario de Apoyo

1. De acuerdo a Hechos 2:4, la evidencia que sirvió como demostración de que quienes estaban en el aposento alto habían sido llenos del Espíritu Santo, fue:

   a. Un milagro de sanidad
   b. El hablar en otras lenguas
   c. El incremento de la comunión
   d. Todo lo anterior
   e. Nada de lo anterior

2. Hechos 2:7-12. La impresión recibida por la multitud que se acercó al aposento alto al notar la situación de los hombres fue atónito y maravillada al oír en su propia lengua las maravillas de Dios

3. Hechos 2:16-21. En su primer discurso, Pedro hizo referencia a la profecía de profecía del Joel
Manifieste el contenido de esta profecía especificando lo que Dios dijo que haría.
derramar de su espíritu sobre cada uno de sus hijos y ancianos y profetizaran tendrán sueños, el sol se convertirá en tiniebla y la luna en sangre y todo aquel que invoque el nombre del señor se salvara

4. Según Hechos 2:37-41, ¿cuáles fueron las condiciones que puso Pedro para que los presentes recibieran el Espíritu Santo?
que se arrepientan y se bauticen cada uno en el nombre de jesucristo para perdón de pecado

¿Cuántas personas se convirtieron con el discurso de Pedro?
como tres mil personas

5. Deduzca, a partir de cada texto, la obra específica del Espíritu Santo en nosotros.

Efesios 1:13. El Espíritu Santo nos ______________________

Efesios 1:13. El Espíritu Santo nos ______________________

1 Timoteo 4:1. El Espíritu Santo nos ______________________
____

Romanos 5:5. El Espíritu Santo ______________________
____

Hechos 1:8. El Espíritu Santo nos llena de __________ y nos hace ______________.

Juan 14: 26. El Espíritu Santo nos ______________ todas las cosas.

Juan 16:8. El Espíritu Santo nos ______________ de pecado, de justicia, y de juicio.

Juan 16:13. El Espíritu Santo nos __________ a toda verdad.

6. Según Mateo 3:11
Seremos bautizados en ______________ y ______________

7. Lea Hechos 19:1-6 y marque con una "X" el orden de acción correcto entre Pablo y los discípulos encontrados en Efeso:

a. Bautismo en el nombre de Jesús - imposición de manos llenura del Espíritu Santo - hablar en lenguas y profecía ( )

b. Llenura del Espíritu Santo - imposición de manos - hablar en lenguas y profecía - bautismo en el nombre de Jesús ( )

8. Según Romanos 8:26, en el proceso de comunicarnos con Dios, ¿qué labor cumple el Espíritu Santo a favor nuestro? ¿cómo la hace? ______________________________
____
____

Imposición de Manos

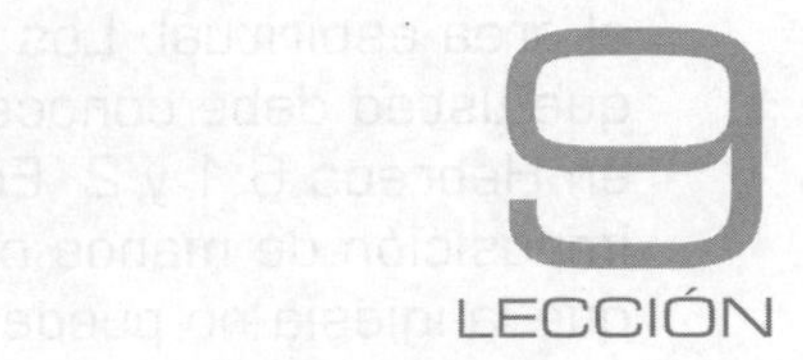

FUNDAMENTACIÓN BÍBLICA BÁSICA

1 Timoteo 5:21, 22

2 Timoteo 1:6-7

FUNDAMENTACIÓN BÍBLICA COMPLEMENTARIA

Éxodo 15:6-7

Éxodo 15:12-13

Génesis 48:11-20

Mateo 11:2-5

Marcos 5:21-23

Marcos 5:24-34

Marcos 5:35-42

Hechos 9:10-12

Hechos 13:1-3

Proverbios 28:3

Juan 12:24

TEXTO CLAVE

"Por lo cual te aconsejo que avives el fuego del don de Dios que está en ti por la imposición de mis manos"
2 Timoteo 1:6

PROPÓSITO

Un aspecto importante para el desarrollo de la vida cristiana es la disposición del creyente para crecer en el conocimiento de la doctrina bíblica a fin de permanecer firme en el camino de Dios y, al mismo tiempo, contar con la suficiente autoridad para ayudar a otros en el área espiritual. Los aspectos doctrinales básicos que usted debe conocer se encuentran relatados en Hebreos 6:1 y 2. En este texto se menciona la imposición de manos como una doctrina fundamental que la iglesia no puede descuidar.

A través de la imposición de manos, que implica un contacto físico, el Señor Jesucristo realizó innumerables milagros a lo largo de su ministerio. El apóstol Pablo le sugirió a Timoteo su importancia, indicándole los cuidados que debía tener durante su práctica.

Aplicando esta doctrina, con el conocimiento y la autoridad delegada por Dios, una persona puede ser usada para ministrar a otros las bendiciones de lo alto; pero si la práctica se hace fuera del contexto bíblico, se produce el efecto contrario.

El propósito de esta lección no es solo ayudarle a comprender de manera clara en qué consiste la imposición de manos, sino brindarle las herramientas necesarias que, de acuerdo al contexto bíblico y los ejemplos de Jesús, le permitirán ser un instrumento genuino en las manos de Dios para ministrar a otros.

1. ¿QUÉ SE ENTIENDE POR IMPOSICIÓN DE MANOS?

Es una doctrina fundamental de la fe cristiana que consiste en un acto mediante el cual una persona, con autoridad espiritual, coloca sus manos sobre otra para impartirle bendición, acompañando el proceso de oración y la palabra profética.

Esta definición da a entender, entonces, que si quien impone las manos no se encuentra en una adecuada condición espiritual, no será canal de bendición; lo cual sugiere que todos debemos ser ministrados primero, para poder ministrar a otros.

De acuerdo a Salmos 119:73 y Job 10:8 al 9, podemos decir también que la imposición de manos es un medio que Dios usa para dar vida.

2. ANTECEDENTES BÍBLICOS DE LA PRÁCTICA DE ESTA DOCTRINA

En el Antiguo Testamento

Dios utiliza su diestra para obrar de manera concreta a lo largo de la creación y, en todo instante, para dirigir a su pueblo, bendiciendo, haciendo milagros, trayendo provisión, propiciando lo imposible. Los siguientes son ejemplos de la imposición de manos registrados en el Antiguo Testamento:

A. Jacob bendice a Efraín y a Manasés (Génesis 48:11-20)

Estando muy anciano, Jacob quiso bendecir a los hijos de José. La bendición era como una herencia que el padre entregaba a las nuevas generaciones, y siempre recaía en aquel sobre el cual se colocara la mano derecha (Génesis 48:24).

B. Moisés unge a su sucesor (Deuteronomio 34)

Desde el momento en que lo llamó, Dios le dijo a Moisés que tenía el propósito de usarlo para liberar a su pueblo. Pero, llegando a los límites de Canaán, el Señor le dijo que tomara a Josué para continuar con la tarea de guiar al pueblo a la tierra prometida (Números 27:18-23).

En el Nuevo Testamento

La imposición de manos en la vida ministerial del Señor Jesús

En Mateo 11: 2-5 leemos las obras de Jesucristo, las cuales realizó en la tierra con la autoridad dada por el Padre y, mediante la imposición de manos, desatando la unción derramada sobre Él por el Espíritu Santo (Lucas 4: 18-2)

Posteriormente, basado en su propia experiencia y reconociendo el poder existente en la imposición de manos, Pablo acompañó su ministerio con señales y prodigios realizados de la misma forma (Hechos 14:3).

3. PROPÓSITOS DE LA IMPOSICIÓN DE MANOS

Varios propósitos se logran a través de la práctica de la imposición de manos:

A. Impartir sanidad interior y liberación

La sanidad interior y la liberación constituyen dos etapas por las que tiene que pasar todo individuo que anhela ser usado por Dios y vivir a plenitud la vida cristiana. El Señor Jesús fue ungido para traer sanidad interior y liberación, de acuerdo a lo que Él mismo dice en Lucas 4:18. En este texto, los quebrantados de corazón son todos aquellos que requieren sanar las heridas del alma, y los cautivos son los que están oprimidos por influencia de espíritus inmundos.

B. Impartir bendición

Génesis 48:13-20, donde aparece la historia de Efraín y Manases, nos recuerda la manera como la imposición de manos se usó en la antigüedad en señal de bendición, y Marcos 10:16 ilustra un caso similar en los tiempos de Jesús: "Y tomándolos en los brazos, poniendo las manos sobre ellos, los bendecía"

C. Impartir autoridad

Recordemos el proceso de transmisión de autoridad de Moisés a Josué a partir de una orden de Dios, mediante la imposición de manos.
Otro caso similar sucedió con Eliseo, quien impuso las manos a Joás, rey de Israel.
(2 Reyes 13:15-17)

D. Impartir sanidad física

El espíritu de enfermedad, así como todo espíritu inmundo, puede ser quebrantado a través de la imposición de manos, y actuando en el nombre de Jesús, tal como El lo sugirió. (Mateo 16:17, 18; Santiago 5:14, 15). La imposición de manos estimula la fe de las personas, y quien ministra por este medio tiene que actuar en la completa dimensión de la fe.

E. Impartir el bautismo en el Espíritu Santo

El propósito de Dios es que cada creyente experimente la llenura del Espíritu Santo y tenga comunión íntima con Él. Como ya ha sido estudiado, el Espíritu Santo es la promesa cumplida de Jesús a los discípulos (Lucas 24:49b); es el poder de Dios actuando en nuestras vidas (Hechos 1:8); y su unción llega a nosotros a través de la imposición de manos (Hechos 8:18).

F. Impartir dones y comisionar a otros

Hemos conocido acerca de los dones del Espíritu Santo, y de acuerdo a las Sagradas Escrituras, los mismos pueden ser impartidos a través de la imposición de manos. En Romanos 1:11, Pablo dice: "Deseo veros para comunicar algún don espiritual", es decir, para impartir.

El doctor Derek Prince en "El manual del cristiano", dice que "hay autoridad bíblica para que un creyente imparta dones espirituales a otros" (1 Timoteo 4:14; 2 Timoteo 1:6)

De igual forma, la imposición de manos se usa para impartir autoridad a alguien a fin de que realice una comisión específica en el trabajo ministerial. Recuerde que Bernabé y Saulo fueron apartados para la obra, por orden del Espíritu Santo, mediante la imposición de manos (Hechos 13:1-4)

CONCLUSIÓN

La imposición de manos es parte del grupo de doctrinas básicas de la fe cristiana, y es el acto mediante el cual una persona con autoridad imparte bendición a otra, lo cual exige encontrarse en una condición espiritual óptima, a fin de no producir efectos contrarios al propósito de Dios en la vida del que es ministrado.

Mediante la imposición de manos, el Señor se encarga de impartir vida y bendición integral al que ha confesado su fe en Jesucristo, trayendo liberación y sanidad interior.

APLICACIÓN

Profundice en el estudio de los propósitos que pueden ser alcanzados a través de la imposición de manos y dispóngase espiritualmente para que el Señor le use como canal de bendición para otros.

TAREA

Estudie cada una de las áreas de su vida y observe las necesidades que encuentra en ellas a fin de que ingrese en un proceso de ministración especial de liberación que ha de ser practicada con la imposición de manos, por parte de su pastor o líder inmediato.

Cuestionario de Apoyo

1. Desde el primer instante de la fundación del mundo, Dios usó sus manos para desatar su poder creativo. ¿Qué resumen los siguientes textos al respecto?

Salmos 119:73 las manos de dios me hicieron y me formaron

Job 10: 8, 9 acuerdate ~~con~~ como a barro me ~~forma~~ diste forma

2. Enumere las cosas hechas por la diestra de Jehová contra los enemigos del pueblo de Israel, según Éxodo 15: 6, 7.

magnificada en poder,
~~los~~ a derribado a los q' se levantan contra el.
los consumio como hojarasca

3. Desde la época antigua, la imposición de manos se ha usado para impartir bendición. Teniendo en cuenta el texto de Génesis 48:11-20, responda:

¿Bendecir con la mano izquierda o la derecha tenía el mismo valor?

Sí ____ No NO

¿La prioridad de la bendición recaía sobre los primogénitos?

Sí ____ No NO

¿Por qué Israel prefirió colocar la mano derecha sobre Efraín siendo el hijo menor de José? el mostro a jacob en el rostro de efrain por q' el ~~sabia~~ q' en el haria grande su desendencia de una nacion

4. Coloque frente a cada texto quién bendice a quién mediante la imposición de manos.

Números 27:22-23 moises bendice a Josue
2 Reyes 13:15-17 eliceo bendice al rey de israel
Marcos 5:35-42 jesus resucita a la hija de jairo
Hechos 9:10-12 ananias a saulo de tarso

5. ¿Qué sucedió con Josué cuando Moisés le impuso las manos? Deuteronomio 34:9

fue lleno del spiritu de sabiduria.
____

6. Haciendo uso de una concordancia bíblica, mencione cuatro casos específicos en los que Jesús impuso las manos:

a. ____

Texto Bíblico Marcos 10

b. ____

Texto Bíblico ______________

c. ____

Texto Bíblico ______________

d. ____

Texto Bíblico ______________

6. En el desarrollo de su ministerio, el apóstol Pablo hizo uso contínuo de la imposición de manos. Relacione los siguientes textos con el caso específico:

a.	Sobre Timoteo	Hechos 28:7-9	(b)
b.	Sobre el padre de Publio	Hechos 19:2-6	(c)
c.	Sobre discípulos de Efeso	2 Timoteo 1:6	(a)

7. La imposición de manos encierra un poder inmenso. Complete el siguiente texto, que es un ejemplo de ello:

"Y estas señales seguirán a los que creen: en mi nombre echaran fuera demonios; hablarán nuevas lenguas; ______________ ______________, y si bebieren cosa mortífera, no les hará daño; sobre los enfermos ______________, y sanarán" (Marcos 16:17, 18).

8. En su opinión, ¿por qué Pablo le sugirió a Timoteo que no impusiera con ligereza las manos? (1 Timoteo 5:22).

para q. evitar contaminarse con pecados ajenos y conservarse puro
____

9. De acuerdo a Lucas 4:18, haga un resumen del ministerio de Jesús, en el cual la imposición de manos era factor vital.

El vino a:

a dar livertad a los cautivos

" " vuenas nuevas a los pobres

sanar

10. ¿Cuáles de los puntos anteriores se relaciona con la liberación y la sanidad interior?

dar livertad a los oprimidos.

quebrantados de corazon.

FUNDAMENTACIÓN BÍBLICA BÁSICA

Romanos 8:35-39

FUNDAMENTACIÓN BÍBLICA COMPLEMENTARIA

Juan 16:33

Juan 17:15-16

Filipenses 4:8

Romanos 8:5, 6

2 Corintios 6:14-16

Salmos 119:9

Santiago 5:19-20

Mateo 26:41

Mateo 10:36

Cómo vencer los obstáculos

LECCIÓN

TEXTO CLAVE

"Antes, en todas estas cosas somos más que vencedores por medio de aquel que nos amó"
Romanos 8:37

PROPÓSITO

¿Qué haría usted si se encuentra en medio del mar, en una pequeña barca que está siendo sacudida por las fuertes olas y golpeada por los imponentes vientos, habiendo luchado con todas sus fuerzas y pareciendo que todo es en vano?
Esta era la situación en que se encontraban los discípulos, según el relato de Mateo 8:23 al 27. Jesús iba en la misma barca con ellos, pero Él no estaba ni angustiado ni afligido; por el contrario, estaba durmiendo plácidamente, como probando la reacción de ellos frente a la adversidad.

La experiencia que vivieron los apóstoles en aquel momento representa toda una enseñanza para cada uno de nosotros. Todos tenemos que afrontar circunstancias adversas a fin de que nuestro carácter adquiera la firmeza que se requiere para cumplir fielmente el propósito divino. Los grandes hombres de Dios se formaron en el fuego de la prueba de los momentos difíciles.

Uno de los más grandes interrogantes del creyente es ¿cómo vencer los obstáculos? Esta lección le aportará recursos valiosos que le permitirán encontrar una respuesta concreta a su inquietud.

1. LOS OBSTÁCULOS MÁS COMUNES QUE SE LE PRESENTAN AL CREYENTE

A. EL MUNDO

"No ruego que los quites del mundo, sino que los guardes del mal. No son del mundo, como tampoco yo soy del mundo" (Juan 17:15-16)

Cuando Jesús oró por sus discípulos, pidió a Dios que los guardara del mal que se encuentra en el mundo. Es decir, estaba indicando que era consciente del obstáculo que el mundo representa para todo aquel que anhela crecer y permanecer en el camino cristiano. Al hablar aquí del mundo, se está haciendo referencia al sistema de cosas que nos rodea socialmente y que el enemigo puede utilizar como carnada para atraernos y llevarnos a desarrollar una conducta contraria a las normas divinas.

En 1 Juan 2:15-17, encontramos una descripción de lo que es el mundo y lo que ofrece, cosas que no provienen del Padre y que, por lo tanto, se convierten en barreras para todo creyente: los deseos de la carne, los deseos de los ojos, y la vanagloria de la vida.

Los siguientes aspectos contribuyen a vencer los obstáculos que comúnmente encontramos en el mundo:

- Tener el pensamiento sujeto a la voluntad de Dios (Filipenses 4:8).
- Dedicarle tiempo a las cosas del Espíritu (Romanos 8: 5-6).
- Evitar las alianzas con las áreas del mundo (2 Corintios 6:14-16).
- Mantener contacto permanente con la Palabra de Dios (Salmos 119:9).
- Procurar ganar nuestras amistades para el Señor (Santiago 5:19-20).

B. LA TENTACIÓN

"Velad y orad para que no entréis en tentación; el espíritu a la verdad está dispuesto, pero la carne es débil" (Mateo 26:41).

Encontramos en este texto una recomendación especial de Jesús a sus discípulos, invitándoles a permanecer en oración para no ceder a las tentaciones que día a día nos rodean. Es importante tener en cuenta que la tentación es una prueba que viene de parte de Satanás y que se relaciona con la carne.

El pecado del hombre consiste en ceder a esa tentación que aparece como una carnada con la cual el enemigo arrastra al hombre a violar los mandamientos divinos.

Usted puede vencer la tentación teniendo en cuenta los siguientes puntos:

- Mantener comunión constante con el Espíritu a través de la oración (Lucas 11:4; 1 Tesalonicenses 5:17).
- Estudiar la Palabra para confesarla (Mateo 4)
- Renunciar a toda raíz de pecado que permita la tentación (Proverbios 28:13).
- Llenar la mente de las cosas del Espíritu. (Gálatas 5:16 y 25)

C. LA FAMILIA

"Porque he venido para poner en disensión al hombre contra su padre, a la hija contra su madre, y a la nuera contra su suegra; y los enemigos del hombre serán los de su casa" (Mateo 10:35, 36)

Para un nuevo creyente es difícil comprender de buenas a primeras que su familia pueda ser un obstáculo en el desarrollo de la vida cristiana. Sin embargo, el Señor Jesús lo advierte en el texto anterior. Lo que debe entenderse aquí es que, cuando aceptamos a Cristo como nuestro Salvador personal, Él debe ocupar el primer lugar en nuestro corazón. Sólo cuando toda la familia entra en la misma dimensión de fe en que nos encontramos, podrá estar en el mismo sentir espiritual.

¿Quiere decir lo anterior que debemos entrar en discrepancia con nuestra familia y separarnos de ella? Por supuesto que no.

Nuestra labor es conquistar nuestra familia para Cristo.
Los impedimentos familiares se superan aplicando los siguientes pasos:

· Ganar a la familia en oración.
· Creer en las promesas de Dios.
· Tener buen testimonio ante los familiares.
· Perseverar hasta alcanzarlos para Cristo.

CONCLUSIÓN

Por lo general, en el desarrollo de su vida, el hombre se encuentra con diversos tipos de obstáculos y tiene que luchar para enfrentarlos y superarlos. Estos son frenos que se atraviesan en su camino y que le impiden alcanzar una meta específica. En la vida cristiana también se presentan barreras que el enemigo coloca para debilitar nuestra fe, pero en las manos de Dios, se convierten en elementos claves para fortalecer el carácter y prepararnos para cumplir la obra que Él nos ha encomendado.

TAREA

Haga una lista de todos aquellos obstáculos que se le han presentado a lo largo de su vida cristiana. Clasifíquelos dependiendo de si provienen del mundo, de las tentaciones o de la familia, y dedíquese a superarlos aplicando las sugerencias contenidas en esta lección.

Seleccione los nombres de los miembros de su familia que no han conocido del Señor y reclámelos para Cristo en oración.

10 Cuestionario de Apoyo

1. Analice el texto de Mateo 8:23-27 y responda las siguientes preguntas:

a. ¿Qué hacía Jesús cuando se presentó la tempestad en el mar?

____

b. ¿Qué pensaron los discípulos que iba a suceder con ellos en medio de aquella dificultad?

____

c. ¿Con cuál declaración Jesús exhortó a los discípulos?

____

d. ¿Qué hizo Jesús para que se hiciera grande bonanza?

____

e. ¿Cuál fue la reacción de los hombres?

____

2. En Juan 16:33, el Señor brinda una clave de confianza para enfrentar las aflicciones del mundo, ¿cuál es?

____

____

3. Mencione algunos obstáculos que se encuentran en el mundo, agrupándolos en los rangos descritos en 1 Juan 2:15-17.

* Deseos de la carne

____

____

* Deseos de los ojos

materialismo

proverbios 27:20

* Vanagloria de la vida

el sentirse orgulloso de la posicion

de uno mismo en el mundo

santiago 4:16

4. La tentación es otro de los obstáculos que se presentan en la vida del creyente. Cuando Jesús fue tentado, su defensa fue la confesión de la Palabra. Relacione la respuesta dada por Jesús ante a cada ataque del enemigo (Mateo 4: 1-11).

Ataque de Satanás:
"Di a estas piedras que se conviertan en pan"
Respuesta de Jesús ______________________________

____

Ataque de Satanás:
"Si eres Hijo de Dios, échate abajo"
Respuesta de Jesús ______________________________

____

Ataque de Satanás:
"Todo esto te daré, si postrado me adorares"
Respuesta de Jesús ______________________________

____

5. El Sermón del Monte contiene voces de aliento y esperanza de Jesús a todos aquellos que se encuentran en algún tipo de dificultad (Mateo 5:1-12). Alli se menciona varias veces la palabra "bienaventurado". Averigüe que significado tiene.
en el nuevo Testamento se describe felicidad
doblemente bendecido.

Complete:
Los pobres en espíritu recibirán el reino de los cielos
Los que lloran por ellos recibirán consolación
Los que tienen hambre y sed de justicia serán saciados
Los que padecen persecución por causa de la justicia de ellos
es el reino de los cielos

6. El apóstol Pablo da a entender que, estando en dificultades, debemos vivir por la fe. En 2 Corintios 4:8, dice que estamos:
Atribulados en todo, pero no ______________________________
En apuros, pero no ______________________________
Perseguidos, pero no ______________________________
Derribados, pero no destruidos

7. 2 Corintios 4:17. Para Pablo, las dificultades eran una
menor tribulación momentánea

8. 1 Corintios 10:13. La tentación es humana

Filipenses 4:13. La fortaleza viene de cristo que nos fortaleza

2 Corintios 1:6. Si somos atribulados es para nuestra consolación y salvación

2 Corintios 1:20. Las promesas de Dios son verdaderas en él reales y confiables en un sí

9. Santiago 1:12. ¿Cuál es la recompensa para todo aquel que soporta la tentación?

recibirán la corona de vida

10. Filipenses 4:4. Una máxima de Pablo que ayuda a enfrentar con valentía cada momento difícil es:

nos regocijemos en el señor.

mentos

CESAR CASTELLANOS D.

fundamentos

DOCTRINA

NIVEL 1

GUIA DEL ALUMNO

fundam

EQUIPO EDITORIAL

Dirección Ejecutiva	Eliemerson Proença
Corrección Literaria y Doctrinal	Doris Perla Cabrera Natasha Cabrera
Diagramación	Camila Diaz

2003©César Castellanos D.
Publicado por G12 Editores.
2020 NE 163 Street, suite 101
North Miami Beach, 33160
Teléfono (305) 940 1499

Correo Electrónico sales@g12bookstore.com

Visítenos www.mci12.com
www.g12bookstore.com

Miami, FL. USA

ISBN 958-8092-08-6

Queda prohibida la reproducción total o parcial de la presente obra en cualquiera de sus formas, gráfica, audiovisual, electrónica, mecánica, magnetofónica o digital, sin la autorización previa y escrita de la casa editorial

Reservados todos los derechos © Copyright 2003

Impreso en Colombia Printed in Colombia